# EL JARDÍN *del* BIENESTAR

Un oasis privado para desconectar y relajarse

Texto: Wolfgang Hensel
Fotografía: Jürgen Becker

*p*

Copyright © 2006 de la edición española
Parragon Books Ltd.
Queen Street House
Bath BA1 1HE, RU

Texto: Wolfgang Hensel
Fotografía: Jürgen Becker

Traducción del alemán: Concha Dueso Ruberte para
Equipo de Edición, S.L., Barcelona
Redacción y maquetación: Equipo de Edición, S.L.,
Barcelona

ISBN: 978-1-4054-9003-0

Impreso en China
Printed in China

# ÍNDICE

# EL JARDÍN DEL BIENESTAR

*«Un jardín saludable adecuado a la personalidad de quien lo disfruta relaja el cuerpo, la mente y el alma.»*

La filosofía vital que encierra el moderno concepto de «bienestar» podría ser tan antigua como la historia de la humanidad, pues la relajación, la serenidad interior y el recogimiento en un lugar seguro y tranquilo son necesidades elementales de la persona. Mientras que en la prehistoria eran la caza y el miedo a los depredadores los que elevaban el nivel de estrés de los humanos, hoy lo hacen las tensiones emocionales y profesionales a las que estamos sometidos. Y precisamente nuestros jardines son de lo más adecuado para eliminar ese estrés, ya que ahí podemos abandonarnos en un entorno familiar y regenerar así el cuerpo, la mente y el alma.

## ¿Qué es el estrés?

Frente a los esfuerzos personales y a las exigencias del entorno, es decir, frente a cualquiera de los factores de estrés, nuestro cuerpo reacciona con sensatez biológica. En el caso de reacciones de alarma inmediatas ante peligros reales o imaginarios (antiguamente el ataque de un oso, hoy, la llamada por sorpresa del jefe, por ejemplo), la hipófisis y las glándulas suprarrenales segregan diferentes hormonas (la más conocida es la adrenalina) que, entre otras cosas, elevan la presión arterial, aumentan la coagulación sanguínea y proporcionan a los músculos más sangre y glucosa. Mientras tenemos la posibilidad de eliminar la «fuerza interior» acumulada con un esfuerzo físico o mental, apenas existe peligro para el bienestar general; pero por desgracia la realidad es, con frecuencia, otra: tensión en la vida privada y profesional, disgustos con el jefe o los compañeros, problemas en el ámbito domestico o en el círculo de amigos y muchas otras cosas se van estancando. Con cada nueva dificultad va creciendo la montaña de problemas sin resolver o asimilar. En la llamada «fase de resistencia frente al estrés permanente», la

reacción inmunológica del cuerpo disminuye y pueden surgir inflamaciones en el estómago, el intestino o la piel. El peligro de enfermedades cardíacas va aumentando hasta provocar infartos; la intensa secreción de mineralcorticoides (hormonas esteroideas como la aldosterona o la cortiscosterona) alteran nuestras reservas de agua y minerales. Hasta que somos capaces de recuperar un estado de normalidad o siquiera de relajación, nos sentimos «quemados» (síndrome de agotamiento emocional), y en el peor de los casos nuestro cuerpo reacciona en algún momento con una enfermedad psicosomática (fase de agotamiento).

¿A quién no le gustaría poder sentarse aquí, a la sombra del rododendro?

Leer relajadamente. Así, el jardín se convierte en centro de bienestar.

Líneas definidas, una superficie de agua reflectante y materiales selectos...

## ¿Cómo se combate el estrés?

Cuerpo, mente y alma sólo pueden recuperar la calma si se consigue romper lo antes posible ese círculo vicioso de disgustos e irritación contenida. Por suerte, existen diferentes formas de escapar a las consecuencias negativas del estrés. Como complemento idóneo a los recursos más habituales para incrementar el propio bienestar, el jardín se revela como un «centro terapéutico» inmejorable: está siempre a mano, ofrece tranquilidad íntima y se puede adaptar a la propia personalidad y carácter, convirtiéndose así en el entorno ideal que cualquier persona estresada necesita para reencontrarse.

## El jardín como centro de bienestar

La idea de convertir el propio jardín en un balneario completamente privado quizá resulte chocante, pero sólo en un primer momento. Cuando se habla de bienestar muchas personas piensan en yoga, meditación zen, suaves masajes o el vertido de aceites en una terapia ayurvédica. Entre un jardín y las formas de terapia habituales existen estrechas conexiones de fondo. Puede que haya tenido ocasión de admirar alguna vez la imagen de recogimiento mental transformada en piedra de un jardín zen, o incluso haya disfrutado de uno de esos jardines. Al pertenecer a culturas occidentales, es natural que no podamos contemplar esos jardines con los mismos ojos que un budista. Pero aunque carezcamos de la profunda espiritualidad de un maestro zen y de su conocimiento de lo simbólico, podemos apreciar que ese tipo de jardín irradia una intensa paz. Seguramente sería una osadía que intentáramos planificar un «auténtico» jardín zen. Sin embargo, podemos proyectar en nuestra casa un rincón tranquilo aunque estructurado, con plantas y/o piedras, cuya contemplación nos proporcione paz interior. El efecto será el mismo si allí leemos un buen libro, dejamos volar los pensamientos o practicamos la meditación: lo que cuenta es tan sólo eliminar el estrés. Y lo que es bueno para nuestra mente y nuestra alma, es positivo para nuestro cuerpo.

... o un parterre con gravilla al estilo de un jardín zen hacen desaparecer las preocupaciones cotidianas.

Las terapias alternativas nos proporcionan otro modo de enfocar el propio jardín saludable. Tanto los tratamientos de la medicina convencional como los de la fitoterapia, la homeopatía, las flores de Bach o los de Kneipp, o las sabias reglas de Hildegarda de Bingen se basan en los agentes activos, es decir, los poderes curativos de las plantas medicinales. Como en el caso del jardín zen budista, lo importante para el propietario no es plantar un jardín farmacéutico con fundamentos científicos, ni destilarse un brebaje terapéutico con las propias hierbas medicinales según el diagnóstico. No obstante, resulta razonable cultivar un par de plantas medicinales comunes y cuidar de ellas. Conocer algo significa casi siempre valorarlo. La disposición interior a hacer con hierbas medicinales algo benéfico para el propio cuerpo supone a menudo el primer paso hacia la curación. Cuando usted se sienta en su jardín y se toma relajadamente una infusión, ya sea de cosecha propia o de la farmacia, el estrés desaparece casi por sí solo.

Si, por el contrario, usted relaciona el bienestar con el aspecto físico-culinario, un huertecito en su jardín saludable particular puede proporcionarle hierbas aromáticas, hortalizas y fruta para sus ensaladas, zumos y guisos. Los productos plantados, cuidados y cosechados por uno mismo no contienen sustancias nocivas y saben mejor por el mero hecho de que se ha seguido cada paso de su cultivo. Estar orgulloso del propio trabajo, disfrutar de algo que uno mismo ha creado, proporciona una buena sensación, y las buenas sensaciones ayudan a eliminar el estrés, o evitan que se produzca.

*«Da lo mismo que un jardín sea grande o pequeño.»*
*(Hugo von Hofmannsthal)*

Los deportistas, aquellos a quienes les gusta combatir el estrés con movimiento, instalarán un jardín saludable centrado en el cuerpo: un cuadro con césped para hacer gimnasia y jugar, aparatos de entrenamiento bajo una pérgola cubierta... Una tabla de ejercicios es placentera aunque llueva. Tampoco puede faltar, por supuesto, una cómoda hamaca, para el merecido descanso. Y aquellos propietarios de jardín estresados que no puedan parar quietos siempre podrán recurrir a la propia jardinería como válvula de escape. ¡Ahí siempre hay un montón de cosas que hacer!

El aroma de las plantas medicinales y el perfume de las flores actúan sobre el centro olfativo del cerebro.

Pero a lo mejor lo suyo no es el deporte, ni la meditación, ni tampoco las hierbas medicinales o culinarias. También en este caso el jardín saludable puede ser un valioso complemento para su relajación. Está demostrado que los colores tienen una fuerte influencia en nuestro estado psíquico. Entrene su mente y componga a base de plantas floridas un derroche de color que se adecue a cada estado de ánimo. Disponga macizos de brillantes colores para los días alegres y vitales, y parterres con tonos tranquilos y apagados para los momentos en que prefiera reflexionar. Combine colores y aromas en tiestos o jardineras, estimule sus ojos y su centro olfativo y prolongue su estancia en el jardín con un baño relajante al que añadirá hierbas o aceites aromáticos. O pida a su pareja que le dé un masaje...

## El jardín saludable en la práctica

La parte central de este libro presenta diferentes conceptos para diseñar un jardín saludable. Al contrario de lo que es habitual en los libros de jardinería, no se han clasificado según formas de parterres o por ubicación, sino según el estado de ánimo del usuario del jardín. Tanto las coincidencias como las exageraciones son absolutamente intencionadas. Las indicaciones y sugerencias han de entenderse como propuestas que se pueden combinar o transformar al gusto. En la parte práctica que viene a continuación se presentan hierbas medicinales y plantas aromáticas que enriquecerán estéticamente un jardín saludable, proporcionando ingredientes para platos, infusiones, pomadas, tinturas o baños caseros. Ahí encontrará los principales consejos para su cultivo, cuidado y aplicación. Aunque, por supuesto, es cosa suya decidir si realmente quiere tomarse la molestia de procesar las hierbas de su jardín.

A la relajación en el jardín sigue la terapia de bienestar en el sofá.

En las farmacias y herboristerías venden plantas medicinales de buena calidad para infusiones y baños, así como aceites aromáticos y otros productos a base de plantas que también se pueden encontrar en perfumerías y tiendas de cosmética natural.

En la tercera parte del libro hallará propuestas para elaborar con la «cosecha» de su propio jardín los productos más variados que puedan contribuir a su bienestar personal, además de sugerencias de ejercicios de relajación y meditación, entre otros.

Este libro no pretende ser uno más de entre los muchos que dan consejos sobre bienestar, por eso no propone ejercicios concretos. Su intención es más bien mostrarle cómo con muy poco esfuerzo podrá crear un entorno en el que usted y su familia se sientan a gusto. Cuanto más se adapte el jardín a sus necesidades personales, antes encontrará la paz y alcanzará un estado de satisfacción y equilibrio. Elija entre la amplia oferta de productos y ejercicios saludables los que más le gusten y personalice su jardín en consecuencia.

# EL JARDÍN SALUDABLE

Seguramente todo jardín trazado al gusto de su propietario es en mayor o menor medida el «jardín de su bienestar». No obstante, los jardines temáticos que aquí se proponen pretenden estimularle para que piense otra vez en el suyo y vea si quiere variar algo. En nuestra vida cotidiana estamos sometidos a tantas tensiones que nos olvidamos de concedernos un espacio libre. Un jardín nos puede ofrecer ese espacio libre personal. Sólo tenemos que preguntarnos seriamente qué necesidades deseamos que cubra, sin someternos a la presión de obligaciones aparentes.

Si usted, su pareja o sus hijos se reconocieran en uno o varios de estos «jardines tipo», debería empezar a investigar y buscar sugerencias y consejos.

Considere las propuestas de este libro como una especie de caja de construcciones con elementos para jardín de los que se puede servir según su necesidad. Combine las «piezas» con otras que se le ocurran: deje volar su imaginación y desarrolle un diseño de propio cuño. Para hacerlo no necesita tener en mente desde el principio una «obra maestra». Empiece diseñando zonas pequeñas adecuadas a una actividad: un rincón para meditar, una esquina para la barbacoa, un estanque, una rosaleda... Todo lo que pueda producirle bienestar. Si le satisface, amplíe esa zona del jardín consciente e individualmente tantas veces y durante tanto tiempo como le divierta. Si las primeras ideas ya le dan vueltas en la cabeza, está preparado para crear un auténtico «jardín saludable».

## Sin miedo al vacío. Jardín saludable con rincón para meditar

Este tipo de jardín es el más indicado para quien desee utilizarlo para dejar vagar la mente, quien le guste reflexionar en vez de echarse a holgazanear en la hamaca, quien quiera experimentar con técnicas de meditación orientales (o ya lo haya hecho) o quien disfrute sintiendo cómo su imaginación se desencadena mientras está leyendo un libro o escuchando música.

### ¿Qué es lo que distingue un jardín para la meditación?

La característica de este jardín es que incluye un lugar donde la persona se puede recoger por completo en sí misma. Puede constar de un asiento al aire libre entre un grupo de arbustos, un cenador o una pequeña pérgola cubierta; pero no debería tener vista directa a la terraza ni al vecindario. También resulta útil un punto al que dirigir la mirada para meditar, que ayude a concentrar los pensamientos o, dicho de otro modo, a liberar la mente.

### Propuestas para el trazado

En términos estrictos, un rincón para la meditación no tiene que cumplir ningún requisito especial (al margen de los ya mencionados). Si lo desea al aire libre o bajo techo es cosa suya, aunque para hacer ejercicios de meditación regulares es más apropiado un lugar a resguardo de la lluvia. A la hora de ubicarla, procure que la zona de meditación esté bien aislada del resto. Lo mejor es que la planifique en el tercio posterior del jardín.

Un farol y una pila de piedra acertadamente colocados proporcionan a esta zona el ambiente de un jardín oriental.

**Opciones saludables:**

*Baños aromáticos*

*Respiración consciente*

*Cromoterapia*

*Masajes con o sin aceites*

*Meditación*

*Alimentos y bebidas saludables*

*Yoga*

Una vegetación variada a base de herbáceas y bambús resistentes al invierno forma una mampara visual y tiene buen aspecto desde ambos lados. Las hojas relativamente recias del bambú susurran con la brisa suave, reforzando así la atmósfera tranquilizadora del lugar aislado. Como la oferta de bambús es amplia, puede que tenga que buscar la variedad más adecuada en diversos viveros. Pruebe con una mezcla de tipos de hoja grande y pequeña. Otra de las ventajas del bambú es que muchas de sus variedades prosperan en media sombra y a la sombra bajo árboles grandes.

Un lugar para meditar a pleno sol no es del gusto de todos. Quien se tenga que secar el sudor continuamente tendrá problemas para meditar. La mente se distraerá pensando en una bebida refrescante.

Para practicar una auténtica meditación tendrá que hacer un curso y aprender la técnica. Hay escuelas que ofrecen cursillos de prueba para dar a conocer esas antiguas técnicas de relajación y concentración. Siéntese en una silla completamente relajado, con la espalda lo más derecha posible, y concéntrese en una flor o una hoja (puede mirar una «auténtica» o imaginársela con los ojos cerrados). Intente alejar todo lo demás de su mente y pensar sólo en el objeto. Por una parte comprobará que no es tan fácil, pero por otra verá lo bien que se siente cuando lo consiga: la irritante advertencia de su jefe será de repente cosa del pasado.

Pero también una serena vista del jardín desde el asiento aporta relajación y tranquilidad mental sin meditación, y puede facilitar la reflexión sobre un libro o intensificar el placer de escuchar música con auriculares. Resulta muy apropiada una pequeña superficie con piedrecitas dispuestas alrededor de una o más islas de piedras grandes (el cuidadoso rastrillado de gravilla es ya meditación). También son adecuadas unas rocas cubiertas de musgo, una lámpara de piedra (lámpara de casa de té japonesa), una pila de piedra con un poco de agua o un grupo de cañas de bambú: todo aquello que da paz a la mente elimina el estrés.

 **La vegetación**

A excepción de la mampara vegetal, sea muy discreto con las plantas. Para el campo de visión y si la variante oriental no es lo suyo, las tapizantes de su elección salpicadas con unas cuantas vivaces discretas (por ejemplo, pie de león) proporcionarán las mejores condiciones para una relajante estancia en la zona de meditación. Según su estado de ánimo, coloque tiestos con hierbas aromáticas cerca del asiento; la lavanda, el romero y la melisa son muy estimulantes para la mente. Los días sin viento coloque cerca un pebetero con unas gotas de aceite de hinojo.

 **Cuidado y mantenimiento**

Los arbustos de bambú son herbáceas cuyas raíces se extienden agresivamente. Para contener su crecimiento entierre en el momento de plantarlos una barrera para las raíces. Otra alternativa ofrecen los maceteros grandes, que puede enterrar o utilizar como punto de mira complementario. Por lo demás, no necesitan más cuidados que el mantenimiento habitual del jardín.

Para meditar suele bastar con un cuadro de césped.

# Del trabajo proviene la fuerza. Jardín saludable para inquietos

Todo aquel que se ponga nervioso con sólo pensar en una tumbona, que prefiera coger una pala antes que un libro y esté toda la semana deseando volver a mancharse las manos, quien no quiera saber nada de jardinería fácil y combata el estrés cotidiano con el sudor de su frente necesitará un jardín saludable que «apacigüe» sus ansias de acción.

 ### ¿Qué es lo que distingue un jardín para inquietos?

En un jardín así hace falta una superficie de césped lo bastante grande para juegos de movimiento, pero también las zonas típicas de un jardín que necesitan mantenimiento para estar siempre en perfecto estado: espléndidos arriates con muchas especies que necesiten cuidados regulares, un parterre con flores de corte, un compostador, una tabla de mantillo para criar plántulas, un pequeño (o gran) bancal con plantas útiles... Es decir, todo lo que a lo largo del año da trabajo en el jardín.

 ### Propuestas para el trazado

La ventaja de un jardín para inquietos radica por una parte en que se puede adaptar cualquier jardín ya existente, y por otra en que, gracias al trabajo invertido, se logra un autentico vergel de ensueño. Empiece procurándose un lugar de trabajo agradable donde hacer los preparativos. Los «manitas» construirán en la pared exterior de su caseta de herramientas una mesa plegable donde plantar y trasplantar, preparar semilleros y manipular plantitas útiles y ornamentales. En el compostador se reciclan los restos vegetales del jardín, por

Recolectar las judías, podar los setos y cuidar las flores... Se nota que los dueños de esta parcela disfrutan con la jardinería.

capas, y se criba el compost que está a punto antes de trabajarlo en el suelo. Plante en él pepinos, calabazas y la bonita capuchina. Si rodea el compostador de un seto combinará la estética con el ansiado trabajo de mantenimiento.

Lo más apropiado para inquietos son los bancales que desde que se siembran o plantan las especies elegidas hasta la cosecha precisan control y cuidado continuo. Disponga, por ejemplo, un bancal de unos 10 m² que haya que acolchar en otoño y abonar con compost en primavera. Ahí podrá plantar hermosas flores para decorar su hogar, y sembrar, plantar y cosechar hortalizas y verduras. El cuidado del suelo y el escardado de las malas hierbas le entretendrán hasta la cosecha.

 **La vegetación**

No hay límites en la elección de las plantas. Busque para sus arriates los mejores arbustos que pueda conseguir. Elija entre la amplia oferta de dalias o gladiolos aquellos que antes de la primera helada tienen que sacarse del suelo y guardarse en el sótano. Combine los arbustos con flores anuales de verano para obtener siempre nuevas y excitantes combinaciones de color. Plante rosales arbustivos y trepadores o cultive frutales emparrados. Experimente con plantas en macetas o haga cada vez nuevos arreglos florales a base de mezclas de semillas. Prepare esquejes y retoños de sus plantas y hierbas favoritas: así siempre tendrá reservas para su propio jardín y, por otra parte, regalos muy personales para sus amigos. Un alegre y colorido tiesto pintado a mano personalmente con una hierba aromática de cosecha propia es un hermoso presente.

A la hora de elegir hortalizas y verduras, déjese aconsejar en un establecimiento especializado u ojee libros sobre horticultura biológica.

 **Cuidado y mantenimiento**

Para otras personas puede ser un horror, pero a usted trabajar en el jardín le da vida. Sin embargo, hay algo que debería tener en cuenta: tan pronto como usted o su pareja noten que la jardinería ha dejado de ser una diversión para pasar a suponer una obsesión por el trabajo botánico, deje por un tiempo que proliferen las malas hierbas y échese en una tumbona en medio del césped.

*Sugerencia:*
*Prescinda de un seto y plante en su lugar tupidos arbustos que se transformen en macizos.*

*Sugerencia:*
*Prepárese una tabla de mantillo (en el mercado hay modelos ya listos) para empezar desde finales de invierno con el cultivo de las plantas.*

*Opciones saludables:*
*Aerobic, estiramientos, tablas de ejercicios, acupresión, baños aromáticos, reír, alimentos y bebidas saludables.*

Proporcionar la oportunidad de balancearse en la hamaca sobre unas poco exigentes funkias: ése es el verdadero cometido de un jardín para perezosos.

## A la meta sin esfuerzo. Jardín saludable para perezosos

Es usted todo lo contrario del jardinero que acabamos de describir? ¿Lo que más le gustaría es un jardín que le exigiera un mantenimiento mínimo? ¿Sueña con un paraíso en el que holgazanear sin tener que hacer el mínimo esfuerzo? ¿La forma en que mejor elimina el estrés es no haciendo nada? Entonces es el candidato ideal para tener un jardín para perezosos.

 **¿Qué es lo que distingue un jardín para perezosos?**

El requisito necesario para organizar semejante jardín es elegir plantas que requieran el mínimo mantenimiento posible: prescinda sobre todo de las vivaces y pásese a las leñosas; también las superficies de césped exigen muchos cuidados. Además, debería proteger todas las superficies posibles de las malas hierbas y crear suficientes espacios para asientos, hamacas y tumbonas.

## 🌷🌷🌷 Propuestas para el trazado

Comience disponiendo zonas de descanso y planifique el resto del jardín alrededor de esos espacios. En un día soleado, observe dónde da el sol y qué queda en sombra o media sombra, y planifique zonas de descanso en consecuencia; así, según su ánimo, podrá escoger entre relajarse «en el sur soleado» o «al fresco del norte». Prevea suficientes asientos, tumbonas y hamacas (hay modelos con pies para jardines sin árboles). Si decide invertir algo más y escoge muebles de teca, no tendrá que recogerlos cuando llueva, ni siquiera en invierno. Ponga los muebles sobre tarimas de madera o losas de piedra o cemento y extienda un plástico para estanques negro y resistente debajo de las superficies de gravilla o acolchado: todas estas medidas reducen las malas hierbas. Las plantas en macetas (enterradas o a la vista) proporcionan el relajante verde; los pebeteros aromáticos, las infusiones de hierbas y los aceites de masaje con esencias de hierbas (para los masajes estivales de pareja) aumentarán el bienestar.

Quien se mece en tal columpio no se preocupa por cuándo hay que volver a segar el césped.

Arregle el resto del jardín sobre todo con arbustos. Un parterre de hierbas mediterráneas junto al lugar de descanso soleado le agasajará con el aroma de los aceites etéreos. Como acolchado, extienda entre medio piedrecillas claras y decórelas con un atractivo objeto de terracota. Junto a los otros arbustos se pueden contener las malas hierbas con una espesa capa de acolchado o una tupida cubierta de tapizantes. Intente plantar arbustos de diferentes alturas y anchuras formando ligeros arcos e islas, para que el lugar de descanso parezca inserto en un paisaje natural. Así el jardín resultará muy variado aun sin macizos de vivaces. Incluso se pueden aligerar las superficies de césped, que necesitan mucho cuidado. Plante en la zona bulbos de tipo silvestre y vivaces seudocampestres (aunque exigen algo más de trabajo) y no siegue el césped hasta el verano: parecerá un prado florido.

Muebles resistentes a la intemperie y macetas sobre gravilla reducen las necesidades de intervención.

## La vegetación

Elija las variedades para arriate de hierbas mediterráneas del tercer capítulo. A la hora de escoger los arbustos lo mejor es que se deje asesorar en un vivero acreditado. Existen toda una serie de arbustos que se crían bien sin necesidad de grandes podas. Entre ellos se cuentan las aceráceas arbustivas *(Acer),* el guillomo *(Amelanchier),* las betuláceas arbustivas *(Betula),* muchas cornáceas *(Cotinus),* las pelucas *(Cotinus),* las avellanas de invierno *(Corylopsis),* los magnolios *(Magnolia),* las coníferas rastreras y muchos otros. Elíjalos tanto por el período de floración como por la forma de crecimiento y el color de las hojas. Procúrese un paisaje cambiante a base de leñosas de larga floración y/u hojas coloreadas y variegadas. Para el suelo son buenas tapizantes fáciles de cuidar, por ejemplo, los agracejos bajos *(Berberis),* el cotoneáster *(Cotoneaster dammeri),* la hiedra *(Hedera helix),* el diamante *(Pachysandra terminalis)* o la hierba doncella *(Vinca);* en primavera se añaden los bulbos y tubérculos.

En muchos viveros ofrecen a buen precio flores anuales de temporada. Tenga siempre preparados unos tiestos bonitos y suficiente tierra, para proporcionar color a su jardín. Las flores de verano marchitas se sustituyen simplemente por otras nuevas: el mínimo esfuerzo para el máximo efecto.

Arbustos y árboles precisan menos cuidados que las plantas vivaces.

Asientos distribuidos ampliamente sobre una tarima, como aquí, son oasis de relajación que no requieren preocuparse por las plantas.

 **Cuidado y mantenimiento**

De acuerdo con el tema del jardín, el trabajo es limitado. Rellene regularmente el acolchado porque supone menos esfuerzo que arrancar la mala hierba, y en primavera pode las ramas heladas de las leñosas.

La mayoría de los arbustos necesitan poco abono: basta con un fertilizante orgánico de larga duración, que se suministra una vez en primavera (para las plantas de jardinera es mejor un abono líquido). Como algunas tapizantes tienden a proliferar (hiedra, hierba doncella, diamante) tendrá que intervenir de vez en cuando para controlarlas.

## Del desayuno a la cena. Jardín saludable
## para anfitriones entusiastas

Si lo que usted prefiere hacer para aliviar su estrés es hablar de ello, a ser posible con mucha gente; si le gusta reunirse con familiares y amigos para hacer barbacoas, cenar o simplemente charlar con un cóctel o un vaso de vino en las noches calurosas; si sólo se siente a gusto y relajado en compañía, su tipo de jardín es el jardín para anfitriones entusiastas.

 **¿Qué es lo que distingue un jardín para anfitriones?**

Lo principal en estos jardines son abundantes asientos, que tienen que estar unidos entre sí y con la casa mediante caminos; es aconsejable tener una entrada directa al jardín (para evitar tener que pasar por la casa). Una barbacoa fija o un fogón abierto pueden ser muy bonitos. Quien tiene invitados ha de velar por la seguridad, así que todos los caminos deberían estar bien solados e iluminados y los asientos, ser estables.

El sueño de todo anfitrión: animadas conversaciones en buena compañía.

Lámparas efectistas y bolas luminosas flotantes iluminan con estilo el jardín al anochecer.

 **La vegetación**

No hay normas en cuanto a las plantas adecuadas para un jardín de anfitrión. Se puede concentrar en las leñosas, como en la opción del jardín para perezosos, o decidirse por los macizos de vivaces, más necesitadas de cuidados (mejor prescindir de ellas junto a caminos y asientos por si la fiesta se desmanda...). Es aconsejable tener un arriate con flores de corte para decorar la mesa. En el tercer capítulo encontrará hierbas aromáticas, que en tiestos o macetas junto a la barbacoa o la mesa servirán de decoración y condimento espontáneo.

 **Cuidado y mantenimiento**

Para el mantenimiento de las plantas, véanse los otros jardines temáticos. Ahora bien, un anfitrión debería primar la seguridad de caminos y asientos, la barbacoa o el fogón (¡no emplee nunca líquidos inflamables!), y también la iluminación. Cuando vaya a dar una fiesta, recoja con tiempo suficiente hierbas para sus especialidades, como mantequilla a las hierbas, mayonesas, quesos aliñados y demás; no olvide tampoco los aceites y vinagres condimentados con hierbas para sus ensaladas.

**Propuestas para el trazado**

Piense primero en cuántas visitas suele recibir. No tiene mucho sentido planificar el espacio como para organizar un banquete de boda si por lo general sólo se invita a dos o tres matrimonios amigos. El lugar para sentarse lo definirán las dimensiones de la mesa, a las que habrá que añadir un marco de 1 m de ancho (para una mesa de 90 x 150 cm con 6 u 8 plazas como máximo se necesitan pues 10 $m^2$). Con mesas o bancos más pequeños se reduce la superficie.

Los jardines pequeños parecen más amplios si en vez de estar todos los invitados en el mismo sitio pueden ir yendo de un lugar a otro. Si además los caminos entre, por ejemplo, la terraza, la barbacoa y el comedor son anchos y espaciosos, los invitados pueden incluso «pasear» y mantener una conversación en privado. Como organizar barbacoas en verano es toda una tentación, se puede instalar una mesa junto a un fogón de obra. Si se decide por una construcción de tipo chimenea, podrá agasajar a sus invitados con reuniones nocturnas al aire libre en torno al fuego.

*Opciones saludables:*

*Acupresión*

*Risa terapéutica*

*Alimentos y bebidas saludables*

## Rosaledas y rincones de ensueño. Jardín saludable para románticos

**Opciones saludables:**

*Acupresión*

*Aromaterapia*

*Flores de Bach*

*Cromoterapia*

*Risa terapéutica*

*Masajes*

*Masajes con aceites*

*Meditación*

Tal vez se acaba de casar, o es una persona muy enamoradiza. ¿Desaparece el estrés por sí solo en cuanto está con su pareja, respirando el olor de las rosas y sintiendo al otro junto a sí? ¿La palabra jardín le hace pensar automáticamente en la Bella Durmiente y en rincones secretos y escondidos? Entonces, es usted un romántico sin remedio y éste es precisamente el jardín que necesita.

 **¿Qué es lo que distingue un jardín para románticos?**

El principal aspecto de estos jardines son los rincones discretos que no se puedan ver desde el exterior. En vez de con muros y vallas de madera, tales jardines se protegen de las miradas con espalderas cubiertas de exuberante vegetación. Además del mobiliario habitual, un jardín romántico necesita asientos acogedores en los que intimar.

### Propuestas para el trazado

Los jardines románticos están en cierto modo orientados hacia el interior. Sus propietarios viven, en el buen sentido, encerrados en un capullo que los aísla del exterior y les ofrece el marco idóneo para su personal mundo de vivencias y ensueño.

Levante un cenador, ya sea de construcción propia con postes, enrejados y tejado, o cómprelo hecho en un establecimiento de bricolaje. Quien pueda y quiera invertir tiempo, esfuerzo y más dinero encontrará también modelos especiales para románticos. El cenador debería ofrecer espacio

A poder ser, habilite uno o varios rincones de su jardín que queden ocultos a los vecinos; como desde allí tampoco tendrá usted contacto visual con el exterior, aumentará la sensación de estar solo en una isla romántica.

para un banco de dos plazas y, si fuera posible, para una tumbona donde poder disfrutar en verano de masajes en pareja.

Sobre los enrejados crecen plantas trepadoras, que llenan de aroma el interior y filtran la luz. Coloque varios tiestos o jardineras en el cenador para salvar la época sin floración y dé intensidad al ambiente con pebeteros de olor.

Un asiento protegido de las miradas por un arriate de vivaces y tiestos con plantas en flor.

Decore el acceso festivamente: un macizo de arbustos con exuberantes rosas entre la terraza y el cenador impedirá la visión directa. Trace el camino alrededor de ese macizo y bajo uno o varios arcos de rosas. También un pequeño estanque romántico y juguetón, con una corriente de agua sobre piedras musgosas, visible desde el cenador, aportará el aire de un bosque de cuento.

En un jardín pequeño no habrá sitio suficiente para un cenador así. En ese caso lo apropiado como lugar de retiro son algunos asientos sueltos especialmente escogidos, como un banco inglés o una decorativa silla metálica de velador. Ocasionalmente se pueden encontrar de venta por catálogo o en establecimientos especializados asientos con mini cenador integrado (bancos-glorieta). Coloque esos bancos entre arbustos tupidos, o instale un panel enrejado y cúbralo con plantas trepadoras. Todo lo que aísle el asiento del entorno servirá para crear privacidad romántica.

 ## La vegetación

Son imprescindibles las rosas. Necesitan un lugar soleado, pero no caluroso (durante el día puede haber algo de sombra); precisan suelos profundos, arcillosos y ricos en nutrientes. Proporcióneles un comienzo óptimo: medio año antes de plantarlas, ahueque la tierra con unas dos paladas de profundidad y enriquézcala con compost (lo ideal es el estiércol compostado). La elección de las variedades es cosa de gustos, pero han de tener necesariamente una floración plena y perfumada (por ejemplo rosas «antiguas» o «inglesas»), que son el no va más del romanticismo. Decídase después de haber visto y olido las flores, y no por la foto de un catálogo; déjese aconsejar en un vivero con una amplia oferta.

Otras plantas trepadoras con flor son, por ejemplo, las clemátides (los híbridos de clemátides pueden crecer junto con las rosas en el mismo enrejado; las especies silvestres necesitan más espacio), la madreselva *(Lonicera)* o la glicinia *(Wisteria)*, la hiedra *(Hedera helix)*, la parra *(Vitis)*, la viña virgen *(Parthenocissus)*, la aristoloquia o candiles *(Aristolochia)* o el albohol *(Fallopia)*.

Para trazar el resto del jardín se prestan las plantas que en algunos viveros se encuentran como «vivaces de jardín rural» o «Cottage garden»; una selección de hermosas flores de verano fáciles de cuidar (caléndula, lobelia, rudbeckia, tagetes, zinnia y muchas otras) proporciona un ambiente alegre.

No tiene que ser necesariamente un cenador; también un banco de madera bajo arbustos colgantes puede ser encantador.

Rosas clásicas junto a una valla de madera, como aquí, forman parte del repertorio de todo jardinero romántico.

### Cuidado y mantenimiento

Para que los rosales se conserven en un estado óptimo se les aplicará en primavera un abono completo especial (orgánico o mineral; respete las cantidades indicadas).

Protéjalos como prevención contra las plagas. Tras la floración principal sigue un segundo abonado, y a finales de agosto/principios de septiembre un tercero, con un abono potásico. Para protegerlos en invierno se realiza un acolchado y se cubre la base con ramas secas de pino. Los rosales trepadores se protegen con paja y ramas de pino que se atan a los enrejados. Hay que revisar los rosales regularmente para detectar enfermedades (cortar las hojas afectadas y pedir a un experto que las examine) y podarlos. Como para cada tipo de rosal hay reglas de poda diferentes, aquí sólo mencionaremos brevemente las más importantes para los rosales trepadores: a principios de primavera, corte los brotes helados hasta que la superficie de corte se vea blanca por dentro y verde por fuera. Sujete en horizontal los brotes largos, rectos y no ramificados del año anterior y corte los brotes laterales marchitos; así se estimula la formación de brotes laterales florecientes.

Una cosecha tan abundante como ésta muestra lo bien que se han cuidado las plantas durante el año.

## Ingredientes frescos y sanos. Jardín saludable para naturistas

Si considera que no hay nada mejor que una comida recién hecha; si le gusta escoger bien sus ingredientes; si huele frutas y hierbas antes de comprarlas y disfruta con los amables vendedores de la granja biológica que ofrecen manzanas y zanahorias para probar; si cree que las úlceras de estomago por estrés sólo las sufren quienes se alimentan a toda prisa y con comida rápida, entonces está pidiendo a gritos convertir parte de su jardín en una despensa de frescura sin ningún tipo de contaminantes, en un rincón saludable donde cultivar hortalizas y hierbas de forma natural.

Coles, lechugas y flores de verano. ¿Cómo distinguir las plantas útiles de las ornamentales?

###  ¿Qué es lo que distingue un jardín para naturistas?

Entre las flores normales y las vivaces crece verdura; en espirales, bancales e islotes se crían diferentes hierbas aromáticas y especias, y en un lugar sombreado cuelgan olorosos ramilletes puestos a secar para el invierno. Prácticamente no hay jardín en el que no se encuentre sitio aunque sólo sea para las hierbas más comunes, ¡y sin química!

###  Propuestas para el trazado

El paso de jardín a jardín culinario será más o menos radical según las ambiciones del propietario. En un extremo habrá unos tiestos con hierbas aromáticas y medicinales; en el otro, un huerto en toda regla con divisiones para lechugas, verduras, hortalizas y hierbas aromáticas y medicinales. De hecho, un jardín para amantes de la cocina natural y las hierbas es el tipo de jardín saludable más flexible, pues se adapta a las condiciones existentes y no al revés.

La solución más simple, la de cultivar hierbas en macetas, es la mejor cuando aún no se está seguro de querer un jardín de este tipo. Consiga sus hierbas favoritas (en el capítulo 3 encontrará unas propuestas) y pruebe. De todas formas, un jardinero culinario debería tener siempre hierbas en macetas en la ventana de la cocina para abastecerse y preparar sus provisiones para el invierno.

El resto de las soluciones requieren algo más de trabajo. Las hierbas mediterráneas no son sólo sanas y aromáticas, sino que también resultan muy atractivas para delimitar una terraza o unos asientos.

Como necesitan lugares secos y suelos pobres, se pueden separar muy bien de otras hierbas con distintas necesidades.

Pequeñas áreas (2-3 m²) de forma regular (cuadrados, rombos, círculos y óvalos) plantadas geométricamente producen un efecto de rigor ornamental. Para delimitarlas, plante perejil, cebollino o perifollo; en el centro, ponga una planta alta, como levístico o menta, y llene la superficie del bancal con hierbas de altura media repartidas regularmente. Una combinación de hierbas de diferentes alturas y flores estivales produce un efecto alegre.

Inusuales y llamativos son los macizos de hierbas dispuestos al estilo medieval: se dividen en secciones rectangulares (de 40 x 80 cm) separadas por

Una alternativa interesante para principiantes son las hortalizas más bonitas en un arriate de vivaces. Con sus coloridas hojas y frutos y sus interesantes estructuras, resultan fascinantes e inusuales para la vista.

senderos estrechos de acolchado o gravilla. En cada sección crecen dos o tres tipos de hierbas o flores. Delimite las secciones con sencillos marcos de madera, ladrillos, tablas o enrejado (unas varitas de mimbre entre estacas clavadas en el suelo).

Antiguamente se hacían espirales de hierbas con un diámetro de dos o tres metros, pero hoy son, por lo general, más pequeñas. Dibuje una espiral de unos 80 cm o un metro de ancho con piedras o ladrillos. En el centro debería tener unos 40 cm de alto y entre las vueltas de la espiral tendría que haber una distancia de unos 20 o 30 cm. Haga permeable el subsuelo de la espiral con una mezcla de tierra y gravilla. En el centro se plantarán hierbas mediterráneas y hacia el exterior las que necesitan más agua y nutrientes.

Los auténticos jardines útiles, desde el bancal de verduras hasta el huerto, necesitan más espacio. Pero también se pueden plantar lechugas y hortalizas de bonitos colores, como la acelga roja, entre los macizos de flores y vivaces. No obstante, quien quiera comer regularmente de su cosecha debería calcular una superficie de plantación de unos 20 m². No hay límites para el tamaño del jardín útil. Pero piense que cada metro cuadrado de superficie

La deslumbrante acelga también queda bonita entre las coloreadas flores estivales, como la salvia y el cosmos polidor.

Caminos de acolchado bordeados de boj y un rosal alto en el arriate central recuerdan los huertos de hierbas monásticos.

extra supone varias horas de trabajo, repartidas a lo largo del año hortícola. Mientras que un arriate de vivaces descuidado «sólo» parece asilvestrado, un jardín útil abandonado resulta muy feo.

### La vegetación

Elija entre la oferta del tercer capítulo y vaya haciendo poco a poco su propia selección personal. En la mayoría de los viveros se venden bolsitas de semillas de hortalizas, verduras y hierbas aromáticas en exhibidores especiales. Pruebe lo que le parezca interesante y persevere con lo que le dé buen resultado. En suelos semifértiles (tierra de jardín con aproximadamente una quinta parte de arena) crecen de forma óptima albahaca, ajedrea, eneldo, perifollo, perejil, menta, pimpinela menor y cebollino; en suelos muy fértiles, borraja, estragón, capuchina y levístico. Entre las plantas útiles que llaman la atención en medio de un macizo de flores se cuentan la acelga (diversas variedades, entre ellas, la de penca roja), lechugas de hojas coloreadas y rizadas, algunas coles (como la verde, la lombarda, la coliflor o el repollo) y las judías verdes en tutores.

### Cuidado y mantenimiento

Los arriates de hierbas se acolchan regularmente, y en primavera se abonan moderadamente con un fertilizante orgánico de larga duración. Verduras y hortalizas crecen mejor si en primavera se enriquece el arriate con compost y polvo de piedra. Después de sembrar o plantar hay que mantener los arriates limpios de malas hierbas y parásitos. Prescinda de abonos artificiales y pesticidas, pues seguro que querrá cosechar productos lo más puros posibles, y consulte un libro sobre horticultura biológica para obtener información más específica sobre cultivo y cuidados.

## Del riachuelo a la piscina. Jardín saludable para fanáticos del agua

Un arroyo cayendo en cascada por las piedras y una superficie tranquila: el sueño de todo aficionado a los estanques de jardín.

Al escuchar con los ojos cerrados el murmullo de un arroyo... ¿se siente transportado de inmediato a un valle tranquilo e idílico? ¿Le fascina el ejercicio activo en una piscina o un estanque? ¿O es más bien un naturalista al que le encanta buscar insectos con la lupa entre los juncos? ¿O tal vez es una persona contemplativa que encuentra la relajación mirando las hojas de los nenúfares? ¡Lo que usted necesita es un jardín acuático!

**¿Qué es lo que distingue
un jardín para fanáticos del agua?**

El agua, tanto corriente como estancada, tiene un encanto muy especial. Nos fascina la belleza de sus juegos de luces y su sonido. Por eso todo jardín acuático requiere un puesto de observación para disfrutar de él. Para relajarse basta con una pequeña superficie en cuya contemplación poderse concentrar, por ejemplo, para meditar sobre la razón de que el agua cambie continuamente y sin embargo permanezca siempre igual. El tamaño del jardín y las expectativas de cada cual determinarán el trazado de las superficies acuáticas.

Atención: los jardines acuáticos suponen un gran peligro para los niños pequeños. Asegúrese de que ningún niño se pueda caer al agua.

*Opciones saludables:*
*Baños aromáticos*
*Aromaterapia*
*Alimentos y bebidas saludables*

 **Propuestas para el trazado**

Quien necesite agua para relajarse por completo tendrá que decidir primero cuántos metros cuadrados de jardín quiere transformar definitivamente, pues quitar piscinas, estanques y arroyos supone muchísimo trabajo.

El borde enladrillado de un estanque sirve tanto de asiento supletorio como para exhibir objetos decorativos.

**Sugerencia:**

*La mejor terapia saludable para los niños es la alegría: proporcione a sus hijos una piscina hinchable para chapotear.*

Para destacar de forma óptima, los estanques de tipo natural necesitan una zona profunda, otra media y otra más superficial, y a poder ser también una charca; con todo ello, una superficie de 10 m$^2$. Los estanques a base de elementos prefabricados son más fáciles de instalar, y con una lámina de butilo tendrá más libertad de creación (asesórese en una tienda especializada). Como en el caso de las piscinas, también aquí hay que rodear el estanque con unos asientos. Pero ahora se impone la agradable sensación de paz interior al contemplar el agua. Una entrada de agua que caiga en el estanque como una pequeña cascada enriquecerá el agua con oxígeno.

A continuación surge la cuestión de si el agua ha de ser corriente o estancada. El agua corriente acaricia el oído, y tranquiliza aunque es cambiante; las superficies estancadas son más variables en cuanto a tamaño y ofrecen más sitio para plantas. Un caso especial son las piscinas y estanques naturales aptos para nadar. Ocupan bastante espacio y necesitan además espacio extra para que los bañistas se echen a tomar el sol.

Los surtidores y estanques adecuados para niños ofrecen juegos de agua vivos y necesitan un espacio mínimo: monte una bomba comprada en una tienda especializada para que el agua circule entre las piedras. Algo más de espacio necesita un riachuelo (a partir de uno o dos metros de largo y, con vegetación, 50 o 60 cm de ancho; una lámina de butilo como fondo; bomba): aproveche la tierra extraída de la poza y el lecho para formar un montículo que proporcione la pendiente necesaria. Piedras dentro y junto a la corriente aportan variedad y obligan al agua a borbotear para buscar su camino; con escalones formará pequeñas cascadas.

Las piscinas geométricas de estilo formal son las más apropiadas para jardines pequeños porque facilitan el cuidado del contorno y el vaso. Haga asientos y el bordillo con las mismas piedras para crear un tránsito armonioso; las piscinas con el bordillo elevado sirven incluso de banco. Coloque macetas con plantas aromáticas y ornamentales cerca de los asientos.

Los setos podados en forma de bola combinan perfectamente con el estanque formal y el banco.

Si no es necesario que un estanque natural de adorno sea muy grande, en los destinados a nadar tendrá que doblar la superficie: además de la zona profunda para los bañistas, necesitará otra extensión de igual tamaño para plantas palustres que purifiquen el agua.

Un muro separa la piscina-estanque natural de la zona de plantas.

 **La vegetación**

Costaría mucho mencionar aquí todas las plantas apropiadas para un jardín acuático: sencillamente, son demasiadas. Por suerte, en los viveros se exponen siempre en secciones separadas, de manera que incluso un principiante puede hacerse una idea enseguida. Los arroyos parecen más vivos si un bambú bajo, una herbácea o un helecho extienden sus tallos sobre su curso. En los estanques formales, menos es más: una pequeña espadaña *(typha)* o un junco junto con un nenúfar subtropical (variedades *nymphaea,* pequeñas y no resistentes al invierno) son más que suficientes. En los estanques naturales lo importante es la mezcla sana de plantas subacuáticas, flotantes, de poca profundidad y marginales (déjese aconsejar). Delimite siempre la zona posterior de su estanque con plantas más bien altas.

 **Cuidado y mantenimiento**

Los jardines acuáticos necesitan bastantes cuidados. Hay que limpiar el suelo, retirar y revisar las bombas en invierno, podar y dividir las plantas prolíferas, determinar el pH del agua y quizá también ajustarlo. En otoño hay que recoger la hojarasca y guardar en el sótano los delicados nenúfares. De todas formas, una cosa está clara: cuanto más grande es el estanque natural, más se regula por sí mismo. Piense que los estanques con peces no se deben congelar en invierno; el comercio del ramo ofrece elementos que lo impiden. Los estanques formales, especialmente los pequeños y estables, de plástico, son más fáciles de limpiar gracias a su poca profundidad (se puede renovar toda el agua). Se ahorrará trabajo si deja las plantas acuáticas en recipientes que se puedan sacar para las tareas de limpieza y reparación.

**Opciones saludables:**

Acupresión

Baños aromáticos

Flores de Bach

Respiración consciente

Cromoterapia

Masajes con y sin aceites

Meditación

Yoga

## Colores para el alma. Jardín saludable como cromoterapia

Si su espíritu se exalta al ver un macizo de flores estivales de un amarillo intenso o un prado de luminosas amapolas rojas; si le inspira el azul fuerte de una espuela de caballero, o el rojo oscuro de una malva; si siempre elige su ropa, el papel pintado, las cortinas o los muebles según su estado de ánimo, entonces usted es de los que deberían trazar su jardín según la teoría de los colores.

###  ¿Qué es lo que distingue un jardín de cromoterapia?

Según su estado de ánimo (en el que esté o el que desearía tener), retírese a zonas del jardín cuyos colores le estimulen, tranquilicen, relajen, trasladen a un mundo de ensueño o traigan de nuevo a la realidad, por ejemplo.

En un jardín como éste se necesitan varios rincones con asientos, cada uno de ellos en una tonalidad diferente o, al menos, con una buena selección de plantas en macetas con flores de diferentes colores (lea también el apartado sobre jardines aromáticos).

###  Propuestas para el trazado

Para planificar macizos o jardineras resulta muy útil una tabla cromática personal: ¿cuál es su color favorito? ¿Qué sentimientos le inspira? Al menos en un macizo debería dominar ese color, acompañado de otros tonos que lo resalten. ¿Hay algún color que le irrite o le ponga agresivo? Lo mejor es que se olvide de él o sólo lo plante aisladamente, en uno o dos tiestos. ¿Qué colores le hacen soñar despierto? ¿Hay colores que le permitan concentrarse especialmente bien, o relajarse, o lo que usted valore más? Déjese llevar por sus sensaciones y componga una lista de colores para cada estado de ánimo.

Si se lo permiten las dimensiones del jardín, prevea unos metros cuadrados para un macizo de flores de corte, y así podrá introducir en casa los colores y el ambiente del jardín.

Divida su jardín en espacios separados mediante grupos de arbustos o setos. No es necesario plantar los arbustos muy juntos, de forma que formen masas tupidas, pero sí deberían producir cierta sensación de aislamiento y tranquilidad al sentarse entre ellos. Ponga arriates en esos «espacios» de delante y alrededor de los arbustos; en cada uno de ellos dominará una de sus gamas cromáticas. Coloque su sillón entre las flores según su estado de ánimo; contemple los colores, concéntrese en una flor concreta o, con los ojos entrecerrados, en superficies de color; intente, quizá, una meditación sencilla. Menos espacio necesitan las siguientes soluciones: plante delante de un seto ya existente varios arbustos aislados, de manera que se creen recodos para su asiento; disponga un gran macizo de vivaces con diferentes superficies de color y, según su ánimo, vaya moviendo el asiento ante esas zonas.

Alegría de vivir veraniega y energía positiva transmitida por tonos amarillos, naranjas y rojos ricos en matices.

 ## La vegetación

El único criterio para la vegetación es el color de las flores o las hojas. Procure elegir plantas con similar altura de crecimiento, y tenga en cuenta la época de floración para poder disfrutar de las variaciones de su gama cromática en todo momento del año.

Las flores y hojas rojas se ven incluso de lejos, y producen un efecto desde alegre, estimulante y cálido hasta casi agresivo.

El amarillo y el naranja son soleados, cálidos, positivos y vitales, y producen efecto también a varios metros de distancia; como mancha de color en un entorno azul violáceo crean un estimulante contraste.

Los tonos entre azul y violeta-azulado sólo destacan cerca del observador. Mientras algunas personas los encuentran sombríos, otras alaban su efecto sedante, calmante y estimulante de la concentración.

El verde, el más habitual, subraya con sus tonos calmantes y armonizadores un estado general relajado y equilibrado. Por tanto, uno de los macizos para el estado de ánimo necesita sobre todo tonos verdes (pruebe con helechos, pie de león, funkias o bambús enanos).

En principio, los colores pastel pierden efecto bajo un sol cegador y con la distancia, mientras que los colores puros ganan luminosidad al sol.

Muchas hierbas medicinales también se integran bien en composiciones cromáticas: tomillo y lavanda armonizan en época de floración en tonos entre azules y rojos; elija otros matices de color entre la amplia oferta de variedades. Las hojas finamente rasgadas del hinojo crean grupos llenos de contraste con girasoles rojos, rudbeckias o equináceas. Las caléndulas se pueden mezclar con rojo y amarillo como flores estivales «normales».

*Sugerencia:*
*Los cromoterapeutas ofrecen aceites cromáticos para la terapia aura-soma (según Vicky Wall), a fin de equilibrar cuerpo y alma.*

Graduaciones desde el blanco puro hasta el violeta rojizo pasando por un rosa suave, como en este macizo, tienen un efecto sedante y calmante.

Azul metálico y rojo –aquí cardos azules *(Echinops banaticus)* y bergamota silvestre *(Monarda)*– crean un interesante contraste.

 **Cuidado y mantenimiento**

El trabajo que da un jardín cromático equivale al de un jardín completamente «normal». En primavera hay que airear y acolchar el suelo; necesitará abonos orgánicos de larga duración. Corte regularmente lo que ya esté marchito, pues muchas flores tienen una segunda floración. Sobre todo en el primer estadio de la planificación, tome abundantes apuntes (tablas, marcas de color en un calendario), indicando cuándo y por cuánto tiempo florecen sus flores y vivaces. Esta información le servirá después para agrupar perfectas combinaciones de color.

El ajo de oso se intercala fácilmente entre el helecho macho, el geranio sanguíneo y la aspérula olorosa.

## Rincones silvestres, setos tupidos. Jardín saludable para amantes de la naturaleza

Al ver un pulgón, ¿es usted de los que cogen la lupa antes que el fumigador? ¿Pertenece a las personas que adoptan a todo erizo perdido o pajarillo herido y rechazan por principio el término «mala hierba»? ¿Le gustaría proporcionar a cada hierbita y animalillo de su jardín un lugar seguro? ¿Puede vivir perfectamente con un jardín donde no todo esté bien estructurado y ordenado? Entonces, es el dueño perfecto de un jardín natural.

 **¿Qué es lo que distingue un jardín para amantes de la naturaleza?**

Aunque dejar un jardín a su aire puede sonar teóricamente obvio, la práctica sólo permite un asilvestramiento controlado, pues de lo contrario en dos años surgiría un caos de dudosa belleza. Por tanto, un buen jardín natural relajante supone un compromiso entre áreas «artificialmente» cuidadas y zonas «silvestres». Cajas de nidificación y pilas de leña, espesos setos para pájaros, macizos con plantas para mariposas y una superficie en la que puedan proliferar las hierbas silvestres ofrecerán a animales y plantas suficiente espacio vital.

**Propuestas para el trazado**

Quien quiera transformar su jardín en uno «al natural» no deberá caer en el error de pensar que basta con un par de metros cuadrados en medio de un jardín limpiamente rodeados de césped segado. Para ofrecer un espacio vital a animales y plantas y satisfacer su propio deseo de observar, necesitará al menos unos 50 m². Plante arbustos autóctonos o arbolillos a modo de seto, por ejemplo, escaramujo *(Rosa canina)*, avellano *(Corylus avellana)*, espino blanco *(Crataegus)*, endrino *(Prunus espinosa)*, saúco *(Sambucus nigra)* o serbal de cazadores *(Sorbus aucuparia)*. Pequeños arbustos aislados crean la transición al jardín. Como vegetación baja son apropiadas plantas de tipo silvestre como helechos, ajo de oso *(Allium ursinum)*, eléboro *(Helleborus)*, campanilla de invierno *(Galanthus nivalis)* y sello de Salomón *(Polygonatum)*.

Coloque entre los arbustos externos una pila de leña con troncos de diferente grosor (perforar con brocas de 1-10 mm) y ramas sueltas; allí encontrarán refugio numerosos animales. Abandone a su suerte la pila y su entorno inmediato; se puede pudrir tranquilamente con el paso de los años (cada dos o tres años, apile nuevos troncos).

Plante en el margen de su jardín natural un arbusto de las mariposas *(Buddleja)* y rodéelo con hierba gatera, caléndulas, salvia, equinácea, hisopo, zinnias y otras flores estivales. Le sorprenderá la cantidad de mariposas y otros insectos que acuden. En otoño, plantas de los géneros *Aster* y *Sedum* proporcionarán alimento a los insectos.

Para que un jardín como éste contribuya realmente a eliminar el estrés, debería usted colocar puestos «estratégicos» para sentarse y observar, como un pequeño cenador cubierto de hiedra o de parra entre los arbustos o un banco delante del macizo de insectos. Concédase tiempo para observar a los animales o admire «sólo» las plantas.

 **Cuidado y mantenimiento**

Los jardines al natural no son fáciles de cuidar. Sobre todo un prado silvestre se tiene que controlar regularmente, para ver si las plantas herbáceas prevalecen. Por tanto, siembre las flores silvestres cada año y no se le ocurra abonar, pues si lo hiciera las flores no tendrían la menor oportunidad frente a la hierba. El macizo para los insectos se tiene que acolchar en otoño y airear en primavera; hay que trabajar el suelo con compost y un abono orgánico de larga duración y cubrirlo todo con una delgada capa de acolchado. En primavera hay que podar a fondo el arbusto de las mariposas; en avellanos y saúcos se podarán las ramas más viejas de la base. No recoja la hojarasca de los arbustos y distribuya por en medio humus y acolchado.

En primavera, un jardín al natural es muy bonito, aunque no disponga de «auténticas» flores silvestres, como estos narcisos.

Los aromas despiertan nuestros recuerdos y pueden motivar o intensificar estados de ánimo.

### Levantar el ánimo por el olfato. Jardín saludable para narices exigentes

Cuando el joven protagonista de *En busca del tiempo perdido* de Marcel Proust mojó una magdalena en el té, vio claramente ante sí la casa y la ciudad de su niñez. ¿Le pasa a usted algo parecido? ¿Ama el embriagador aroma del jazmín recién florecido, o los benéficos vapores de un baño de hierbas? ¿Al pasar por un jardín pasa automáticamente la mano sobre las hojas para apreciar más intensamente el buen olor de los aceites etéreos y reconoce un sabroso plato sólo por su aroma? Entonces, necesita un jardín saludable a la altura de su nariz.

Compruebe qué estado de ánimo le provoca un aroma y componga arreglos que le ofrezcan la máxima relajación o estímulo.

Muchas flores, como estos lirios orientales de la variedad «Star Gazer», destacan por unas notas aromáticas especialmente finas.

 ### ¿Qué es lo que distingue un jardín para narices exigentes?

Como los buenos olores se pueden disfrutar más intensamente en ausencia de viento, todo jardín fragante necesita un rincón protegido para sentarse. Puede ser un cenador con vegetación, un banco resguardado del viento por arbustos o una silla cómoda en medio de las hierbas. Las flores y hierbas aromáticas deberían estar al alcance para poder tocarlas, recogerlas y disfrutar del perfume que queda en la mano. Plante abundantes cantidades de sus plantas olorosas favoritas e introduzca el perfume en la casa con ramos secos, pebeteros, saquitos de olor y baños.

 ### Propuestas para el trazado

No es casualidad que en ciertas situaciones digamos que «algo nos huele mal», ya que el olfato influye fuertemente en nuestras percepciones. Por tanto, a la hora de elegir las plantas, déjese guiar por la nariz más que por los ojos.

Al trazar un jardín aromático, por una parte hay que colocar las plantas en el lugar óptimo para ellas, pero por otra también poner el asiento de manera que quien lo utilice no se sienta agobiado por demasiados aromas. Si instala, por ejemplo, un bonito cenador y lo rodea de rosales trepadores,

El fuerte y dulce aroma de los jacintos casi resulta demasiado intenso para algunas personas.

durante la floración allí no debería oler más que a rosas, o en todo caso a una composición efectista como rosa/lavanda o rosa/menta. En el período anterior y posterior, las plantas de jardinera proporcionarán el correspondiente efecto. De todas formas, en un jardín fragante resulta imprescindible tener el mayor número posible de tiestos con flores y hierbas olorosas, ya que también se pueden disponer en la terraza o en un invernadero según el estado de ánimo correspondiente. Ideal

para un jardín aromático es un asiento en foso: dibuje en el suelo un círculo adecuado al asiento deseado (un metro de diámetro basta para una silla, dos metros para una tumbona). Excave esa superficie a unos 30 o 40 cm de profundidad, dejando el borde en pendiente. En el lado sur, defina un margen vertical (calzado con estacas, tablas o piedras), y ponga ahí los peldaños para la entrada. Con la tierra excavada, forme por encima del resto del borde un «anfiteatro» abierto hacia el

Elegir el perfume «correcto» es aún más difícil que elegir un color de flores; catálogos de plantas y libros no sirven de ayuda, sólo la propia experiencia subjetiva. Arrodíllese en un jardín o un vivero y compruebe con la nariz si una planta es adecuada para sus deseos.

sur. Las flores y hierbas aromáticas se plantarán en la pendiente, entre piedras planas. Gracias a la inclinación y al calor que acumulan las piedras, se crea un perfecto de microclima para las plantas y quien se instala en el centro del círculo inspira la esencia de los perfumes al abrigo del viento.

## La vegetación

Casi todas las plantas medicinales y culinarias que se presentan en el tercer capítulo son aptas para un jardín aromático. Ordene las especies mediterráneas junto a la entrada al foso: allí será donde más sol reciban, porque está orientada directamente al sur. También las plantas de jardinera necesitan una ubicación soleada.

Otras plantas aromáticas para su jardín de fragancias serían (una pequeña selección): alhelí amarillo (flores; *Cheiranthus cheiri*), muguet (flores; *Convallaria majalis*), clavelinas (flores; *Dianthus*), reina de las praderas (flores; *Filependula ulmaria*), jacintos (flores; *Hyacinthus*), enebro (*Juniperus communis*), alhelí de invierno o cuarentón (*Matthiola incana*), bergamota silvestre (*Monarda didyma*),

mirto *(Myrtus communis)*, narciso (flores; *Narcissus*), geranio de olor *(Pelargonium graveolens)*, rosales (flores; *Rosa*), salvia romana *(Salvia sclarea)*, violeta (flores; *Viola*).

## Cuidado y mantenimiento

Un jardín aromático no necesita más cuidados que uno normal, con la salvedad de que hay que prestar atención a las malas hierbas porque muchas plantas aromáticas no están hechas para competir con las hierbas silvestres autóctonas.

Las plantas aromáticas en maceta deberían estar al sol el mayor tiempo posible, porque así desarrollan mejor sus componentes activos; esto se aplica en especial a las hojas con aceites etéreos. Ponga el tiesto junto a un asiento en sombra sólo cuando desee disfrutar del aroma.

La mayor parte del trabajo se lo llevará el procesado de las plantas aromáticas para la vivienda: hacer ramilletes secos, pebeteros con flores o saquitos de olor, por ejemplo (véase el capítulo cuarto). Recolecte sus plantas aromáticas a última hora de la mañana, cuando ya se habrá evaporado el rocío y las superficies de las hojas, o las flores, estarán secas.

*Sugerencia:*
*Las plantas aromáticas que crecen al sol también pueden enriquecer zonas de asientos a media sombra o en sombra; sólo hay que plantarlas en macetas, que se llevarán a la sombra cuando haga falta.*

# LAS MEJORES HIERBAS
# PARA LA SALUD Y EL BIENESTAR

Las siguientes hierbas y arbustos representan sólo una selección dentro del amplio abanico de hierbas medicinales existentes. Se trata de plantas anuales y plurianuales relativamente fáciles de cuidar que, a excepción de unas pocas, quedan igualmente bien en un macizo de vivaces. Por cuáles y cuántas se decide, si coloca arriates de hierbas especiales o si sólo desea plantas aisladas, todo eso depende únicamente de usted. En el capítulo cuarto encontrará consejos para la conserva-

ción de las plantas, para preparar infusiones y pomadas, y sobre otras formas de procesar estas útiles hierbas medicinales.

Las ilustraciones no muestran siempre sólo la planta aromática o medicinal propiamente dicha, sino también otras variedades sin valor terapéutico y especies emparentadas, pues además de su utilidad hay que tener en cuenta el aspecto estético de una selección de plantas.

## PIE DE LEÓN (*Alchemilla*)
## Milenrama, aquémila

Remedios homeopáticos

 **Características de la planta**

El pie de león común (*A. xanthochlora*, antiguamente *A. vulgaris*) y su variedad *A. mollis* son vivaces resistentes fáciles de cuidar que medran en todo tipo de suelos (excepto los arenosos) con buena oferta de nutrientes. El pie de león crece de modo persistente y compacto, y sin embargo tiende a reproducirse él mismo por semillas. El pie de león común es la auténtica planta medicinal; la variedad *A. mollis* tiene abundante flores y en consecuencia es la vivaz más bonita y decorativa.

 **Cultivo y cuidados**

Las vivaces se suelen vender en maceta, y no hay que prepararles el suelo de forma especial: basta con un aireado ligero. Al elegir la ubicación, tenga en cuenta que el pie de león se extiende libremente; crece con mucha intensidad y puede sofocar a otras plantas vecinas más débiles. Necesitará más riegos cuanto más seco y soleado sea el lugar donde esté, pero no acusa olvidos ocasionales. El follaje no se recorta hasta antes de la floración (más o menos en marzo). En primavera se suministra a la vivaz abono orgánico de larga duración, y después de la floración se poda intensamente. El pie de león se propaga él mismo por semillas, aunque también se puede multiplicar sin problemas por división de las raíces.

*Pie de león*

*Resumen:*
*Altura/anchura: 30-50 cm/
60-80 cm*
*Floración: junio-agosto*
*Color de la flor: amarillo
verdoso*
*Condiciones: suelos ricos
en nutrientes, de frescos
a húmedos; son ideales
los suelos arcillosos; de
sol a media sombra*

Aquí crece el pie de león acompañado de funkias en media sombra, debajo de una robinia.

**Diseñar con pie de león**

Fuera de la época de floración, el intenso verde de la frondosa capa de hojas es un buen ornamento. Como el pie de león crece en media sombra, sus hojas constituyen un bello e inusual complemento en macizos de helechos ralos, especialmente junto a los de frondas erguidas y afiligranadas. Se puede plantar también debajo de arbustos que tiendan a ralear por la base (por ejemplo, rosales). Aunque las florecillas sólo miden 5 o 6 mm de ancho, forman en su conjunto una hermosa inflorescencia espumosa que parece flotar sobre las hojas. La gran proporción de verde de las flores convierte la variedad *A. mollis* en una bonita vivaz de acompañamiento en gamas cromáticas desde amarillas hasta amarillas rojizas; rico en contrastes, hace buen efecto con flores azules como la salvia *(Salvia nemorosa)*, las campanillas *(Campanula)*, la espuela de caballero *(Delphinium)* o la escala de Jacob *(Polemonium)*.

 **Pie de león para la salud y el bienestar**

Como la forma de sus hojas recuerda una capa medieval, el pie de león se conoce también como «manto de la Virgen», y en virtud de ese nombre se ha recomendado (2 cucharaditas de hojas secas; las hojas frescas se cubren con agua fría y al cabo de varias horas se hierven brevemente) desde la antigüedad para todo tipo de molestias femeninas (dolencias de la menstruación y del vientre). De dos a tres tazas diarias ayudan a aliviar la diarrea ligera (¡también a los hombres!) y las molestias de la menopausia. Las mujeres podrán empapar una toalla en una infusión fuerte de pie de león y colocársela sobre los pechos 15 minutos diarios, para reafirmarlos.

 **Recolección y conservación**

Emplee sólo las hojas (sin los pecíolos) del pie de león común, ya sea antes o durante la floración. Se recortarán a última hora de la mañana, cuando el sol haya secado el rocío. Guárdelas en un recipiente hermético en un lugar oscuro y seco.

## AJO DE OSO *(Allium ursinum)*

*«Come puerro en primavera y ajo de oso en mayo y no tendrás que ir al médico el próximo año.»*
(Refrán inglés)
Remedios homeopáticos

 **Características de la planta**

El bulbo del ajo de oso no se aprecia más que como un ensanchamiento cónico en el extremo inferior del tallo. La planta forma de dos a tres hojas por bulbo, de un verde claro y con nervaduras longitudinales, y una inflorescencia esférica con unas 20 flores de un blanco puro. Especialmente característico del ajo de oso es su fuerte aroma a ajo, que en primavera flota sobre las plantas. Como típica planta de bosque, necesita un suelo rico en humus y no demasiado seco, en media sombra o en sombra ligera. Su lugar ideal es debajo de árboles de hoja caduca (en otoño hay que dejarle la hojarasca en el suelo).

 **Cultivo y cuidados**

Las semillas del ajo de oso se siembran en primavera directamente en el lugar apropiado. Allí propaga él mismo sus semillas y puede colonizar también grandes superficies. Por eso los jardineros arriesgados esperan para ver si la planta vuelve a aparecer a la primavera siguiente. Los más precavidos vuelven a sembrar al menos los primeros años. No necesita cuidados especiales si cae al suelo suficiente hojarasca que se convierta en humus.

## Diseñar con ajo de oso

El ajo de oso sólo resalta bien en un entorno similar al natural y precisa cierto espacio (al menos 1 o 2 m²) para desarrollarse. Un grupo de grandes arbustos algo separados entre sí, un árbol al fondo, o incluso un macizo boscoso en un jardín de tipo natural son marcos perfectos; no es «una estrella» para colocar en primer plano. Como el ajo contiene los mismos componentes activos (diversos enlaces sulfurosos orgánicos que se convierten en aceite esencial), resulta aceptable en un jardín pequeño, aunque es un sustituto menos atractivo.

## Ajo de oso
## para la salud y el bienestar

Los componentes activos del ajo de oso y el común ejercen un efecto benéfico para la sangre: reducen el colesterol y fluidifican la sangre, pudiendo incluso disolver pequeños coágulos y bajar la presión arterial; así, tanto el ajo de oso, como el común favorecen la salud. Además de estos efectos médicamente demostrados, tiempo atrás ambas especies se empleaban para aliviar problemas gástricos e intestinales. Por supuesto, se podría recurrir a la enorme diversidad de pastillas y preparados de ajo, pero el ajo de oso del propio jardín resulta simplemente más divertido. Conseguirá un efecto óptimo con hojas recién recolectadas picadas, que condimentarán sopas, ensaladas y requesón o queso fresco (también con cebollino).

Donde mejor resalta el ajo de oso es en un entorno natural, combinado, por ejemplo, con aspérula olorosa y helechos.

### Sopa de ajo de oso

Rehogue en aceite de oliva unos 150 g de ajo de oso (o una cabeza de ajos) con una cebolla; añada unos 250 g de patatas harinosas en dados y cúbralo todo con caldo de pollo. Déjelo hervir a fuego lento hasta que las patatas se ablanden (de 15 a 20 minutos). Con una batidora, de mano o eléctrica, haga un puré y condiméntelo con nata y pimienta blanca recién molida. Puede adornar los platos con hojas de ajo de oso recién picadas, láminas de almendra ligeramente salteadas en mantequilla o picatostes.

**Recolección y conservación**

El ajo de oso se emplea fresco; por tanto, su mejor momento son los meses de abril y mayo (antes de la floración). Recoja sólo las hojas que necesite, justo antes de usarlas.

### El pesto de ajo de oso se conserva mejor

Trocee hojas frescas de ajo de oso y albahaca (sin pecíolos) y tritúrelas en la batidora con aceite de oliva (viértalo en chorro) hasta formar una pasta suave; el sabor mejorará si añade piñones (unos 50 g por cada 250 g de hierbas). Sazónelo con sal marina. El pesto se puede congelar o conservar cubierto de aceite en el frigorífico unas semanas. Para hacer platos de pasta, mézclelo antes de servirlo con parmesano o pecorino, al gusto.

---

*Ajo de oso*
*Resumen:*

*Altura/anchura: 20-25 cm (con inflorescencia hasta 50 cm)/15-25 cm*
*Floración: abril-mayo*
*Color de la flor: blanco*
*Condiciones: suelos con humus, húmedos; media sombra*

---

# ENELDO *(Anethum graveolens)*

*«Tengo mostaza y eneldo. Hombre, cuando yo hablo, tu guardas silencio.»*
(Fórmula de casamiento de la novia de Oderbruch)
Remedios homeopáticos
Hierba medicinal de Hildegarda de Bingen

 **Características de la planta**

El eneldo es una planta anual con hojas verdes extremadamente divididas y diminutas flores amarillas que forman umbelas. Su característico y aromático olor se aprecia bien en el jardín. Tiene predilección por lugares cálidos y soleados.

 **Cultivo y cuidados**

Al emplearse principalmente como hierba fresca, debería sembrarse por etapas, teniendo en cuenta que dos ejemplares adultos bastan para proveer a una familia. Las semillas de eneldo se siembran directamente a partir de abril (siembras consecutivas cada 3 o 4 semanas), y se separan las plantas que salgan demasiado cerca. No le gusta crecer siempre en el mismo lugar; por eso se recomienda cambiarlo cada año de sitio en el bancal. En suelo normal de jardín, el eneldo no necesita cuidados especiales. Quien tenga poco espacio también podrá criar eneldo sin problemas en una maceta grande (unos 30 cm de diámetro).

 **Diseñar con eneldo**

Sus hojas, casi tan finas como hilos, lo convierten en una vivaz ornamental muy apreciada. El follaje, que desde lejos se funde en un velo verde, combina armónicamente con amarillo, especialmente en la floración del eneldo. También forma bellas gamas cromáticas con azul, mientras que con rojo produce

El eneldo posee una acción antiespasmódica. Sus inflorescencias resultan tan atractivas como sus hojas.

fuertes contrastes. La delicadeza del follaje no se debe contrastar en ningún caso con hojas grandes y fuertes. Maravillosos compañeros son la milenrama (*Achillea*), las campanillas (*Campanula*), la espuela de caballero (*Delphinium*, delante del eneldo), el flox rastrero (*Phlox*) o plantas de hojas plateadas; también casi todas las plantas culinarias. Una o dos umbelas quedan magníficas en ramos de flores.

### Eneldo
### para la salud y el bienestar

La hierba fresca sazona ensaladas y verduras, da a muchas salsas (de pescado) un aroma característico e incluso sirve para condimentar carne. El

**Eneldo**
*Sugerencia:*

*A los caracoles no les gusta el eneldo; por lo tanto, es apto para cultivos mixtos.*

*Advertencia:*

*El aceite de eneldo puro se debe tomar sólo en cantidades mínimas (3 o 4 gotas al día). Las embarazadas no deben tomarlo.*

eneldo con algo de pimienta, sal y limón proporciona un acento especial a la mantequilla de hierbas, la mayonesa o la nata líquida (para ensaladas de hortalizas). Casi un clásico es la combinación de pepino (fresco o encurtido en vinagre) con hojas de eneldo. Además, estimula el apetito y la digestión, es antiespasmódico e impide o elimina las flatulencias (condimento de la col). Para hacer una infusión con los mismos efectos, escoja más bien las semillas (1 cucharadita). El aceite de eneldo (en farmacias o herboristerías), que se evaporará en un pebetero, por ejemplo, con aceite de lavanda o melisa, tranquiliza en caso de tensiones o estrés.

 **Recolección y conservación**

Las hojas de eneldo se recolectan y emplean frescas durante todo el período vegetativo. También se puede congelar la hierba en cantidades pequeñas. El eneldo seco pierde su intensidad como condimento y es una solución de urgencia para el invierno. Otra forma de aprovechar su aroma es hacer vinagre de eneldo. Las semillas se recolectan en cuanto las umbelas se oscurecen: corte enteras las que necesite y cuélguelas sobre una bolsa de papel abierta. Las semillas maduras caerán dentro (semillas para infusiones encontrará en comercios especializados).

Las atractivas y comestibles flores de la borraja adornan ensaladas y platos fríos.

*Borraja*
*Resumen:*
*Altura/anchura: 80 cm/*
*40-50 cm*
*Floración: mayo-septiembre*
*Color de la flor: azul*
*Condiciones: suelos ricos en nutrientes, húmedos, pero tierra permeable; de sol a media sombra*

## BORRAJA *(Borago officinalis)*

*«Un jarabe preparado con flores de borraja es bueno para el corazón, libera de la melancolía y calma a las personas coléricas y enajenadas.»* (John Gerard, 1597)
Hierba medicinal de Hildegarda de Bingen

## Características de la planta

Planta anual con ásperas vellosidades y muy ramificada. Tiene raíces gruesas, en forma de zanahoria pero también ramificadas. La floración es abundante en inflorescencias laxas; Las flores son casi siempre azules celestes, más raramente blanquecinas o incluso rosas. La borraja es muy expansiva y puede sofocar con facilidad a vecinas sensibles.

*Sugerencia:*
*Congele flores en sendos cubitos y refresque con ellos un ligero ponche de verano.*

 ## Cultivo y cuidados

La borraja se siembra sobre el terreno a partir de abril; siembras consecutivas son posibles hasta junio. Las semillas han de hundirse completamente en la tierra (se presiona bien y se riega abundantemente). Espere hasta que las semillas afloren y aclárelas (debido a sus extensas raíces, la borraja no se puede trasplantar). Desde el momento en que las plantas estén espaciadas no necesitarán más cuidados que un riego regular; muy juntas y con mucha humedad, tienden a enfermar.

 ## Diseñar con borraja

Las flores, de un azul brillante, son un atractivo espectáculo, pero apenas destacan desde lejos. En arriates forman un hermoso fondo y quedan bonitas junto a cercas, pero deberían estar a mano ya que sólo se recolectan según se necesitan. La borraja se adapta menos al macizo de vivaces, ya que sus flores delicadas y relativamente pequeñas desmerecen con frecuencia junto a las especies ornamentales. No obstante, forma un interesante frontal ante setos o arbustos erguidos.

La borraja también queda bonita en el huerto; aquí, con lavanda.

**Borraja
para la salud y el bienestar**

Mientras que antiguamente se le atribuían poderes curativos (antidepresiva, diurética y sudorífica, antiinflamatoria, antirreumática, antibronquítica y muchos más), hoy se aprecia sobre todo su valor culinario. De hecho, los médicos desaconsejan tomar grandes cantidades de borraja porque contiene alcaloides venenosos; pero cuando se usa como condimento no supone riesgo alguno. Con todo, el aceite no venenoso de las semillas se sigue empleando contra la neurodermitis. El aroma de las hojas frescas resalta todo tipo de platos con pepino (picadas finas), pero también queda bien con otras ensaladas o sopas y en potajes, con platos de requesón o verduras (espinaca, acelga, col china). Destaca igualmente en el *risotto*. En los platos calientes, procure añadir la borraja al final para que no pierda su aroma. Las flores sin el cáliz son atractivos (y comestibles) adornos para ensaladas ligeras de verano, como estrellas flotantes en sopas o sobre pastelillos de hojaldre con queso de hierbas.

 **Recolección y conservación**

La borraja sólo se puede emplear fresca. Recoja siempre las hojas más tiernas (las viejas son muy vellosas y acres) y las flores justo antes de usarlas.

Tanto en el jardín como en la cocina, la caléndula es una planta singularmente bella y útil.

## CALÉNDULA *(Calendula officinalis)*

*«La fina pomada de caléndula cura la herida más purulenta.»*
(Dicho popular)
Remedios homeopáticos

### Características de la planta

Es una compuesta anual con flores en cabezuelas y tallos muy ramificados. Hojas y tallos son vellosos y contienen una savia pegajosa. La caléndula es una planta extraordinariamente vigorosa que no planteará dificultades ni a un principiante porque crece en cualquier suelo. Es muy aromática.

### Cultivo y cuidados

Las semillas, grandes y algo falciformes, se siembran in situ a finales de marzo y se cubren ligeramente con tierra. Como la caléndula germina con seguridad, basta con relativamente pocas semillas. Los germinados se ven a las 2 o 3 semanas y se separan según necesidad. Las caléndulas se propagan solas (fíjese en el aspecto de los germinados para no confundirlos con malas hierbas en los años siguientes). No necesita más cuidados que el riego, pero las plantas que están demasiado juntas tienden a ser infestadas por hongos.

### Diseñar con caléndula

Las grandes cabezuelas de más de 5 cm y vivos colores, que van del amarillo brillante al naranja intenso, son un placer no sólo en el arriate de un jardín rústico sino también para rellenar huecos en macizos de vivaces (por ejemplo, con bulbos de floración temprana). Por su color, son buenas compañeras de todas las vivaces de flores amarillas y rojas, o bien ofrecen un fuerte contraste a las

*Caléndula*
*Resumen:*
*Altura/anchura: 30-50 cm/*
*20-30 cm*
*Floración: junio-octubre*
*Color de la flor: de amarillo a naranja*
*Condiciones: son ideales los lugares soleados; soporta también la media sombra*

*Sugerencia:*
*El jugo fresco de una flor estrujada alivia el dolor de la picadura de abejas y avispas.*

gamas azules. Si el arriate es lo suficientemente grande, incluso se pueden sembrar caléndulas para delimitar. Forman una defensa natural contra los nematodos, razón por la cual no deberían faltar como nota de color en ningún bancal (como entre patatas, pepinos, tomates o fresas). Las variedades enanas de caléndula (como «Fiesta gitana») son muy apropiadas para macetas de balcón o como rastreras en grandes jardineras.

### Caléndula
### para la salud y el bienestar

Con las cabezuelas recién recogidas se puede hacer una pomada (véase parte práctica), que es extraordinaria para curar llagas, quemaduras, magulladuras, torceduras o agujetas. La infusión de caléndula se emplea tanto para hacer gárgaras en caso de inflamaciones en la boca o en la garganta como para calmar el estómago (junto con manzanilla y/o semillas de hinojo; 1-2 cucharaditas). El aceite de caléndula (en herboristerías y farmacias) cuida la piel y la suaviza: dúchese a ser posible con agua fría y frótese el cuerpo con aceite de caléndula; después, aclárese con agua caliente pero sin jabón. Los pétalos de las flores se pueden separar fácilmente de las cabezuelas y esparcir sobre ensaladas y sopas. Sirven incluso como sustituto del azafrán para teñir de amarillo el arroz (déjelos hervir despacio en nata o leche y cuele la leche amarilla sobre el arroz).

### Recolección y conservación

Para fines culinarios y médicos sólo sirven las flores de la especie botánica (ninguna variedad). Lo mejor es emplearlas frescas, pero también se pueden secar como reserva para el invierno. Corte las cabezuelas en un día seco, séquelas en un cedazo y desmenúcelas en un recipiente de cristal opaco que cierre bien.

## EQUINÁCEA *(Echinacea purpurea)*
Remedios homeopáticos

### Características de la planta

Una vivaz destacada con tallos fuertes, hojas anchas y grandes, llamativas cabezuelas y un olor tenue y aromático. Son características sus flores tubulosas abombadas por el centro como una semiesfera. La equinácea es una planta no demasiado exigente.

Es evidente por qué los viveros de vivaces ofrecen la equinácea como vivaz ornamental.

## Cultivo y cuidados

Lo mejor es comprar la equinácea en maceta y después trasplantarla, pues nunca hay plena seguridad de que las semillas a la venta germinen. Enriquezca el suelo en primavera con un abono orgánico de larga duración y riéguelo regularmente. En cuanto las flores se marchiten, corte los tallos. La equinácea es una vivaz de corta vida que hay que replantar cada tres o cuatro años.

## Diseñar con equinácea

Sus preciosas flores convierten la equinácea en una magnífica y vivaz ornamental, que destaca mucho en macizos con gamas de azules a rojas, y también en contraste con amarillo. Buenas acompañantes de la equinácea son la emparentada rudbeckia *(Rudbeckia),* la bergamota silvestre *(Monarda),* el flox rastrero *(Phlox)* o la liátride *(Liatris),* así como la mayoría de los ásteres *(Aster).* Reúna siempre varios ejemplares y sujete el grupo de forma que no se note (la equinácea no siempre se mantiene bien derecha).

## Equinácea
## para la salud y el bienestar

Los indios norteamericanos la usaban como remedio curativo para reforzar las defensas del cuerpo. Por tanto, empleaban infusiones de equinácea contra las enfermedades infecciosas. De forma parecida actúan los numerosos preparados que existen de equinácea, que tomamos sobre todo con fines profilácticos. El zumo fresco de las partes verdes de la planta acelera la curación de heridas. Como resulta difícil conseguir de las plantas del jardín preparados con efectividad terapéutica (aparte de que con ellos se pierde una hermosa vivaz), más vale recurrir a los productos que se venden en farmacias. No obstante, con las raíces frescas y bien limpias (1 cucharadita) se puede preparar una infusión, que será amarga pero que podrá endulzar con miel. Compresas empapadas en la infusión mejoran las heridas que cicatrizan mal y las enfermedades de la piel.

## Recolección y conservación

Las hojas y raíces se recolectan al principio de la floración (hay que limpiar a fondo la tierra de las raíces). El principio activo de la planta es más efectivo en estado fresco que si se seca.

### El tipo *Echinacea*

Más bien pálido y rubio, ojos azules, piel seca y sensible, necesitado de silencio, se cansa fácilmente aunque duerma lo suficiente, propenso a infecciones.

---

*Equinácea*
*Resumen:*
*Altura/anchura: 60-70 cm/*
*40-50 cm*
*Floración: julio-septiembre*
*Color de la flor: de carmín a rojo violáceo*
*Condiciones:*
*suelos ricos en nutrientes;*
*lugar soleado*

---

Donde mejor destaca el hinojo es rodeado de hierba y flores silvestres. Aquí, con amapolas.

## HINOJO *(Foeniculum vulgare)*

*«Quien guste de emborracharse, que coma semillas de hinojo, que ayuda.»*
(Manuscrito alemán del siglo xiv)
Remedios homeopáticos
Planta medicinal según el párroco Kneipp
Hierba medicinal de Hildegarda de Bingen

 **Características de la planta**

Planta umbelífera de olor intenso y aromático, con grandes hojas finamente plumadas, diminutas y que forman decorativas umbelas extendidas a lo ancho. El hinojo gusta de suelos húmedos, calcáreos y ricos en nutrientes, es decir, necesita un buen lugar en el jardín.

 **Cultivo y cuidados**

Se puede cultivar a partir de semillas pero resulta mucho menos trabajoso adquirir la vivaz en maceta. Se agarra al suelo con una raíz muy larga. Las plantas viejas se vuelven leñosas. Hay que airear el suelo regularmente para que el agua de riego penetre bien. Necesita abonos con una alta proporción de cal. En los años siguientes se suele propagar solo por semillas: hay que esperar y dividir las plántulas para renovar las existencias. Si desea criar hinojo durante varios años, debería cubrirlo con paja al final del otoño.

**Diseñar con hinojo**

Sus bonitas hojas hacen del hinojo una vivaz de follaje ornamental con atractivo propio. El verde de esas hojas laciniadas, finas como hilos, le da el aspecto de un velo fino y traslúcido. Se puede plantar aislado entre vivaces de flores rojas o azules, o formar con él un grupo «transparente» de fondo, tanto en macizos como en bancales de hortalizas y hierbas. Las inflorescencias, que al sol parecen casi de un amarillo azufre, dan la impresión de flotar sobre las hojas. Especialmente decorativo es el hinojo de color bronce y hojas con película rojiza.

 **Hinojo para la salud y el bienestar**

El hinojo es muy polifacético. El bulbo tiene vainas foliares comestibles, mientras que para hacer productos medicinales se emplean las hojas y los frutos. Las hojas frescas son un condimento suave para ensaladas y salsas de pescado; los frutos (recién majados) tienen un sabor más fuerte. Junto con el curry, el anís, el cardamomo y otras especias exóticas, proporciona un toque indio a los platos de arroz y carne. Como los frutos del hinojo impiden las flatulencias, combinan muy bien con los platos de col y legumbres. La infusión de hinojo (1 cucharadita) se beberá, a ser posible sin endulzar, para prevenir las flatulencias, pero también la sensación de plenitud y las flemas de las vías respiratorias. Su aroma inusual destacará incluso en una masa de pan (unas 3 cucharaditas por cada pieza de pan).

El dulzón aceite de hinojo en un pebetero desprende un aroma agradablemente tranquilizante, sobre todo si se mezcla con sándalo y geranio de rosa. También se pueden añadir unas gotas del aceite al baño, o mezclarlo con un aceite corporal comercial.

 **Recolección y conservación**

Las hojas frescas para condimentar platos se arrancan cuando se necesitan; los frutos maduran a partir de agosto. Corte las umbelas enteras con los frutos y agítelas en una bolsa de papel. El hinojo se conserva en un frasco oscuro con tapa de rosca. El jarabe y la miel de hinojo se adquieren en farmacias y tiendas de dietética.

## CORAZONCILLO-HIPÉRICO
### (Hypericum perforatum)

*Las hojas llevan «el pinchazo del diablo».*
(Antiguo dicho popular)
Remedios homeopáticos
Planta medicinal según el párroco Kneipp

Junto a la vistosa rosa «Cafe», el hipérico sólo actúa de comparsa.

*Hipérico*
*Advertencia:*

*Durante una terapia con hipérico debería evitar los prolongados baños de sol en el jardín, porque sus principios activos aumentan la sensibilidad a la luz.*

rústico, la vivaz desaparece fácilmente. En esos lugares ponga más bien las variedades de hipérico que carecen de sustancias con efectos medicinales.

### Hipérico para la salud y el bienestar

Los preparados comerciales a base de hipérico alivian sin efectos secundarios las depresiones ligeras y las alteraciones del sueño. La infusión casera (al parecer, más efectiva cuando la hierba se recolecta en el solsticio de verano) acaba con la intranquilidad, las alteraciones del sueño y los cambios de humor (1-2 cucharaditas); se pueden hacer infusiones mezclándolo con valeriana y melisa. Para mejorar su efecto, tome la infusión regularmente mañana y noche durante varias semanas. El aceite es principalmente de empleo tópico: alivia heridas, quemaduras ligeras (solares), picaduras de insecto, agujetas y magulladuras. Como la piel lo absorbe bien, sirve para dar masajes: activa la circulación, refuerza los tejidos, relaja los músculos y da calor.

### Características de la planta

Vivaz silvestre de crecimiento erguido con raíces ramificadas y estolones. Hojas acabadas en punta con glándulas oleosas traslúcidas. Los pétalos amarillos segregan al triturarlos una savia de color rojo sangre. Crece en prados secos y calcáreos.

### Cultivo y cuidados

El hipérico se compra (como planta de maceta o semillas) en viveros y por correo, a empresas que se han especializado en hierbas silvestres; puede recoger las semillas de plantas silvestres, pero no arrancar las vivaces. Las semillas se precultivan en grandes tiestos o cubetas; las plántulas se pasan al lugar definitivo de finales de verano a otoño. Antes de plantar hay que airear el suelo y enriquecerlo con cal de algas y arena. Una vez ha arraigado ya no necesita más cuidados que una dosis de compost en primavera.

### Recolección y conservación

Para hacer infusiones se cortan las partes superiores de la hierba en flor, se secan a la sombra y se desmenuzan; el producto obtenido se conserva en un lugar oscuro y seco. Haga aceite de hipérico poniendo 50 g de flores frescas en 1/2 litro de aceite de oliva o de germen de trigo. Deje el aceite a la luz (primero abierto y al cabo de 3 o 4 semanas, cerrado). A las 5 o 6 semanas el aceite se tiñe de rojo y se puede filtrar (exprima bien las flores). El aceite se concentra sobre el agua que todavía contenían las flores; decántelo con cuidado. El aceite de hipérico se conserva al menos un año. También se adquiere en farmacias.

### Diseñar con hipérico

La fronda erecta del hipérico destaca mejor en una seca plantación esteparia entre flores de prado y herbáceas. En el arriate o en un macizo de jardín

## Hisopo
### Resumen:

*Altura/anchura:*
*30-60 cm/50-60 cm*
*Floración: julio-agosto*
*Color de la flor: violeta*
*azulado*
*Condiciones: suelos secos*
*y arenosos a pleno sol*

### Sugerencia:

*Cueza en poca agua patatas*
*pequeñas sin pelar con*
*hisopo y romero (o tomillo);*
*escúrralas y, cortadas en*
*gajos a lo largo, dórelas*
*en una sartén antiadherente*
*con hierbas frescas.*

Salvia, menta e hisopo (al fondo, levístico) junto con plantas ornamentales en un macizo de jardín rústico.

## HISOPO *(Hyssopus officinalis)*

*«Quien equipara las virtudes y el hisopo sabe*
*demasiado de todo.»*
(Antiguo refrán)
Hierba medicinal de Hildegarda de Bingen

 **Características de la planta**

Semiarbusto perenne y leñoso por la base, con tallos cuadrados y hojas estrechas; las flores, labiadas, crecen justo en las axilas de las hojas; el arbusto tiene un olor aromático. No es nada exigente pero se encuentra mejor en suelos ligeramente calcáreos.

 **Cultivo y cuidados**

El hisopo se suele vender como planta de maceta; haga el suelo permeable con arena mezclada y, al plantar, añada un poco de cal de algas. Limpie a fondo las malas hierbas porque el hisopo no se impone frente a las expansivas. Sobre todo en regiones frías, a finales de otoño se cubre el arbusto con leña menuda. Al retirarla, en primavera, se mejora el suelo con compost y un poco de abono orgánico de larga duración; pode las ramas heladas.

**Diseñar con hisopo**

Por sus necesidades, el hisopo cuadra muy bien con plantas mediterráneas como lavanda, tomillo y otras en un pequeño macizo de hierbas al sol. Para que estas plantas de monte cálido se den bien, en los suelos densos se debería hacer permeable el subsuelo con gravilla. Asimismo, gravilla u objetos de loza dan al arreglo un aire meridional, mientras que vivaces ornamentales como los cardos azules *(Echinops),* la tritoma *(Kniphofia),* la liatris *(Liatris),* la salvia *(Salvia)* y la oreja de liebre *(Stachiys byzantina)* aportan interesantes acentos.

 **Hisopo para la salud y el bienestar**

El hisopo contiene principalmente aceite esencial y taninos; disuelve las flemas y alivia los síntomas de tos, resfriado e inflamación de garganta. La infusión se bebe o se usa para hacer gargarismos, también en caso de gingivitis (cubrir con agua fría 2-3 cucharaditas por taza y llevarlo a ebullición, dejarlo reposar 15 minutos y colarlo). La infusión de hisopo es un poco amarga. Unas cuantas hojas de la hierba fresca enriquecen con su aroma acre ensaladas, platos de carne y potajes de judías; estimula la bilis y favorece la digestión de comidas pesadas.

 **Recolección y conservación**

Durante la época de floración, recoja sólo las partes superiores, no lignificadas, con las flores; séquelas a la sombra y consérvelas en recipientes oscuros y cerrados. Con la hierba fresca se hace vino de hisopo (ponga a macerar unos 5 tallos enteros en 1/2 litro de vino blanco durante 5 días), que se bebe como aperitivo. Más tiempo se conserva el vinagre de hisopo, que sirve para condimentar ensaladas.

La lavanda (también sus variedades) es el perfecto acompañamiento de todos los rosales rosados.

## LAVANDA *(Lavandula angustifolia)*

*«Especialmente buena para todas las dolencias de cabeza y cerebro.»*
(John Parkinson, 1640)
Planta medicinal según el párroco Kneipp

**Características de la planta**

Semiarbusto perenne, leñoso por la base, de crecimiento compacto y raigambre profunda. Hojas delgadas en verticilos e inflorescencia en espigas con flores labiadas sobre tallos altos y sin hojas. Planta mediterránea con un típico olor aromático que gusta de suelos arenosos y, a ser posible, calcáreos.

 **Cultivo y cuidados**

Se venden diferentes variedades de lavanda como arbusto en maceta, pero para condimentar y como planta medicinal sólo sirve la especie botánica. Airee el suelo a fondo y enriquézcalo con arena o gravilla fina, de manera que el agua de lluvia pueda penetrar bien. La lavanda no se abona pero hay que podarla tras la floración para que mantenga su forma compacta; se puede multiplicar por esquejes.

 **Diseñar con lavanda**

Para mucha gente la lavanda encarna el aroma y el sol meridional. Como las ramas y flores de una sola planta de la especie botánica bastan para elaborar infusiones y condimentar platos, puede aumentar tranquilamente las existencias de lavanda de su jardín con variedades del color de su gusto (no obstante, si le gustan los baños de lavanda necesitará más arbustos). Al igual que el hisopo (véase página anterior), se puede disponer en un entorno mediterráneo, pero también queda maravillosamente al pie de rosales arbustivos o trepadores. En una maceta de terracota lo bastante grande, dará a su terraza un aire provenzal.

 **Lavanda
para la salud y el bienestar**

Las hojas de lavanda fresca prestan un aroma mediterráneo a la carne de cordero y ternera, los potajes, las aves, las sopas y las salsas; se puede mezclar con otras hierbas aromáticas: ¡ponga a prueba su creatividad! La infusión de hojas secas (1-2 cucharaditas) se toma para tranquilizarse antes de dormir o en caso de pérdida de apetito o

---

*Lavanda*
*Resumen:*
*Altura/anchura: 30-60 cm/*
*60-100 cm*
*Floración: julio-septiembre*
*Color de la flor: azul violáceo*
*Condiciones:*
*suelos secos a pleno sol*

---

alteraciones gástricas o intestinales. Como aceite de masaje, el de lavanda se puede mezclar con otros; tiene un efecto antidepresivo y combate el estrés. Masajéese las sienes con unas gotas si le duele la cabeza. Unas gotas del aceite reafirman la piel (masajear cuidadosamente el escote), y para el cuidado del cutis hágase un tónico facial con unas gotas de aceite en agua mineral. Añadida al baño, la lavanda estimula la circulación: hierva unos 50-100 g de hierba en 1 litro de agua durante unos 10 minutos; cuélelo con un paño y agréguelo al agua de del baño (o, menos complicado: añada aceite de lavanda a un poco de nata o miel y échelo en el agua). Para el bienestar general y para mejorar el ambiente de las habitaciones se evapora aceite de lavanda en un pebetero (se puede mezclar con aceite de bergamota o limón).

**Recolección y conservación**

Las hojas que se vayan a emplear como condimento se recogerán frescas (y las flores para adornar una ensalada). Recolecte las hojas para infusión y las ramas no leñosas para el baño en época de floración. Seque la lavanda en ramilletes a la sombra. Los saquitos de olor para el ropero o para poner bajo la almohada como relajante contienen también romero. Con lavanda se pueden hacer asimismo aceite y vinagre de hierbas.

## MALVA SILVESTRE (Malva sylvestris)

*«Con un huerto y un malvar hay medicinas para un hogar.»*
(Refrán español)

*Malva*
*Resumen:*
*Altura/anchura: 30-120 cm/*
*50-60 cm*
*Floración: junio-septiembre*
*Color de la flor: violeta rosado*
*con vetas oscuras*
*Condiciones: suelo normal de jardín; sol*

*Sugerencia:*
*Las malvas son muy apreciadas como flores de corte.*

 **Características de la planta**

Vivaz silvestre autóctona con raíces largas y profundas. Hojas grandes, palmadas y vellosas. Flores grandes y hermosas, divididas en pétalos, que crecen en las axilas de las hojas y recuerdan el hibisco. Los frutos parecen quesos diminutos. La malva no tiene problemas de ubicación pero crece mejor en suelos permeables.

 **Cultivo y cuidados**

Encontrará malvas en maceta en muchos viveros de vivaces con sección de jardín rústico (sólo la especie tiene efectos medicinales). Enriquezca el suelo con compost, polvo de cuerno y cal de algas. A lo largo del año, sólo hay que airear el suelo y regar en caso de sequedad. Si se plantan semillas,

Además de la malva silvestre hay variedades similares, como la malva mauritana, más apropiadas como plantas ornamentales.

se debería hacer en una cubeta o maceta. Necesitan calor y humedad. Las plántulas se pasarán al macizo a partir del 10 de mayo, más o menos.

## Malva
## para la salud y el bienestar

Las malvas pertenecen a la misma familia que el malvavisco; contienen mucílago y taninos. Para hacer una infusión contra las inflamaciones de las vías respiratorias (catarros) se ponen 2 cucharaditas de flores secas con agua fría y se remueve de vez en cuando. Al cabo de 2 horas, se cuela y se calienta un poco. El preparado se puede endulzar con miel o emplear para hacer gárgaras; calma el estómago y el intestino. En vez de en agua, las flores de malva también se pueden poner en vino blanco (5 g de flores secas en 100 ml de vino); se deja reposar 10 días y se filtra. Se pueden hacer gárgaras o tomarlo a cucharadas. Las flores frescas son un ornamento para ensaladas, para colorear el arroz y adornar helados. Más curiosos son los capullos encurtidos en vinagre, que se emplean como alcaparras.

## Diseñar con malvas

Como más naturales resultan las malvas silvestres es en grupo de 3 o 4 plantas en un jardín rústico junto con malvavisco (*Althaea officinalis*) y malvarrosa (*Alcea rosea*) de abundante floración. Las flores de malvarrosa duran mucho y se pueden adquirir de vivos colores; así el efecto visual se prolonga más. Como compañeras de arriate se ofrecen, por ejemplo, herbáceas como la espuela de caballero, en un color que conjunte, o los lirios de la mañana (*Hemerocallis*), cuya vistosa forma no queda sofocada por las malvas o malvarrosas. A finales de año las sustituirán las cleomes (*Cleome spinosa*) y los girasoles morados (*Cosmos bipinnatus*).

## Recolección y conservación

Para hacer acopio de infusión de cara al invierno, recoja las flores y las hojas superiores y déjelas secar en un cedazo. El principio activo de la malva se puede mezclar con malvavisco.

Aquí se formó un macizo yin-yang disponiendo de modo efectista manzanilla y *Sagina subulata*.

**Manzanilla**
*Resumen:*

*Altura/anchura: 20-60 cm/30-40 cm*
*Floración: mayo-agosto*
*Color de la flor: blanco y amarillo*
*Condiciones: todo tipo de suelos de jardín, con sol*

## MANZANILLA

### *(Matricaria recutita)*

*«La manzanilla tan vulgar es del médico receta principal.»*

(Hieronymus Bock, 1539)

Remedios homeopáticos

Planta medicinal según el párroco Kneipp

 **Características de la planta**

La manzanilla anual podría ser una de las plantas medicinales más conocidas. De unas raíces finas brota un retoño ramificado con hojas que se dividen en finas plumas. Las cabezuelas al final del brote están formadas por lígulas blancas y flores tubulosas en forma de cúpula (el receptáculo hueco es una característica de la especie). Sobre todo las cabezuelas desprenden al desmenuzarlas el típico olor de manzanilla.

 **Cultivo y cuidados**

Trabaje el macizo de siembra con algo de compost y esparza las semillas directamente en el suelo a partir de abril. Habrá que aclarar los germinados que vayan brotando y no harán falta más cuidados. La manzanilla se propaga ella misma por semillas.

 **Diseñar con manzanilla**

Por desgracia, el valor ornamental de la manzanilla no está a la altura de su poder medicinal. Busque un rinconcito soleado, a ser posible que no se vea directamente, o siembre las plantas muy juntas para definir el límite de un macizo de hierbas aromáticas. En un huerto, con lo que mejor combina es con la col.

 **Manzanilla para la salud y el bienestar**

El mayor provecho se saca tomando una infusión sin endulzar hecha con cabezuelas (1 cucharadita). Alivia las molestias estomacales e intestinales. Para hacer gárgaras (inflamaciones de la boca) o compresas (curación de heridas), doble la cantidad de flores; para hacer inhalaciones cuando note los síntomas de un catarro o una gripe, haga la infusión con 2-3 cucharaditas por litro (o aceite esencial de la farmacia). En caso de molestias en la zona genital o anal, los baños de asiento con manzanilla alivian los síntomas (50 g de flores en 10 litros de agua o unas gotas de aceite de manzanilla). El aceite en un pebetero crea un ambiente relajado (combina con aceite de melisa y/o de naranja). Un paño frío con unas gotas de aceite de manzanilla alivia a veces dolores de cabeza y migrañas: acuéstese con el paño en la frente y respire despacio.

 **Recolección y conservación**

Las flores de manzanilla se cortan por el tallo con unas tijeras lo más pronto posible tras la floración (mejor después de unos días de sol) y se secan en un cedazo. Se conservan en recipientes bien cerrados. Compre en la herboristería cantidades mayores (las flores de la manzanilla romana tienen los mismos componentes activos).

Las hojas verdes de la melisa no son tan vistosas como...

... las de sus formas variegadas; hay variedades con el borde blanco y con hojas amarillentas.

## MELISA *(Melissa officinalis)*

*«La melisa es lo mejor para el cerebro: refuerza la memoria y expulsa enérgicamente la melancolía.»*
(John Evelyn; 1620-1706)
Hierba medicinal de Hildegarda de Bingen

 **Características de la planta**

La melisa es una vivaz con estolones cortos y tallos cuadrados y ramificados. Tiene hojas dentadas, algo ovaladas, y forma pequeñas flores labiadas. Como es planta de Oriente Próximo, le gusta el pleno sol; huele un poco a limón, también la mata.

 **Cultivo y cuidados**

La melisa se vende en maceta; enriquezca el suelo con compost y algo de arena, para airearlo y proporcionarle nutrientes. Las partes que sobresalen de la tierra mueren en invierno; proteja las sensibles raíces con acolchado. En primavera se retira el acolchado y se aplica compost y abono orgánico de larga duración. Cuidado al airear y al arrancar las malas hierbas: las raíces están cerca de la superficie.

*Sugerencia:*
*Congele hojas de melisa en cubitos de hielo y refresque con ellos bebidas veraniegas. El aroma y el sabor se propagarán al derretirse el hielo.*

65

**Diseñar con melisa**

Además de la especie botánica, en los viveros se encuentran variedades con hojas de bonitos colores. La melisa crece abundantemente y en una buena ubicación se propaga sola por semillas. Queda bien junto a un asiento, donde se la pueda alcanzar con la mano para frotar las perfumadas hojas. En macizos de hierbas pertenece a la «sección mediterránea», pero también se puede criar bien en una maceta como arreglo móvil.

 **Melisa**
**para la salud y el bienestar**

El aceite esencial de las hojas de melisa tiene sobre todo propiedades antiespasmódicas y calmantes; también tiene efecto bactericida y los taninos, al parecer, incluso restringen los virus. La infusión (2 cucharaditas) alivia las molestias estomacales, las alteraciones del sueño (añadir valeriana en proporción 1:1) y el estrés en general. Muy relajante y tranquilizador es el baño de melisa (cubrir 100 g de hojas frescas con 1 litro de agua caliente; colarlo al cabo de 20 minutos y añadirlo a la bañera). Para pasar relajadamente de un día estresante a una noche tranquila, evapore aceite de melisa en un pebetero (incluso en el dormitorio); combinaciones con mucho efecto son las de melisa, ylang-ylang y sándalo, y melisa, lavanda y aceite de rosas. El aceite de melisa es muy caro; por eso se suele sustituir por aceites de olor similar (limón, eucalipto y limoncillo).

El agua del Carmen es un extracto alcohólico (cuidado, más del 70%) hecho con hojas de melisa, entre otros ingredientes, que se bebe como tranquilizante o se usa para masajear ligeramente las sienes en caso de dolor de cabeza. En la cocina

sólo debería emplear hojas recién recogidas de la planta; van bien con refrescos fríos, queso tierno y todos los platos que se condimentan con limón.

 **Recolección y conservación**

Recoja siempre las hojas más frescas o las partes superiores de los tallos antes de la floración; se secan a la sombra. Para la cocina, prefiera la hierba fresca, porque el aroma a limón desaparece al secarla. La melisa es muy apropiada para aromatizar vinagre.

## MENTA *(Mentha* x *piperita)*

*«Quien encuentre menta y no la recoja, tampoco al morir verá a la Virgen.»*
(Dicho popular italiano)
Planta medicinal según el párroco Kneipp
Hierba medicinal de Hildegarda de Bingen

 **Características de la planta**

La menta es lo que se llama «un híbrido natural», es decir, que se da en la naturaleza por el cruce de dos especies silvestres. Crece con raíces planas y estolones y, por tanto, tiende a proliferar. De los tallos cuadrados brotan hojas dentadas y alargadas. Las flores labiadas crecen apretadas en una inflorescencia cilíndrica.

### Cultivo y cuidados

La menta es una planta estéril que, como tal, no se puede cultivar a partir de semillas. Procúrese esquejes o una planta en maceta. Antes de plantarla, enriquezca el suelo con compost si es pobre. Procure no plantar la menta junto a vivaces de crecimiento débil. No necesita más cuidados que riegos regulares y, cuando prolifera, vence incluso a las malas hierbas: un metro cuadrado provee a una familia completa.

La menta combina bien con rábano rusticano y lavanda.

---

*Menta*
*Resumen:*
*Altura/anchura: 30-90 cm/40-50 cm*
*Floración: junio-agosto*
*Color de la flor: de rosa claro a violeta azulado*
*Condiciones: suelos húmedos y ricos en nutrientes en una sombra ligera*

---

más de la menta auténtica, existen toda una serie de especies y variedades con distintas formas de inflorescencias y coloraciones de hoja.

### Diseñar con menta

Las hojas y las flores hacen de la menta una interesante compañía de fondo. Como crece muy bien a media sombra, es idónea como borde de macizos delante de arbustos. No obstante, para contener su crecimiento, en jardines pequeños se debería plantar en macetas enterradas y controlar con regularidad. Un asiento bajo los árboles o junto a arbustos altos gana con la menta; tras un día estresante, frote las hojas con los dedos y dése un ligero masaje con el aceite en nuca, sienes y frente. Ade-

### Menta
### para la salud y el bienestar

El aceite esencial de las hojas de menta calma las molestias nerviosas de estómago e intestino (infusión: 1 cucharadita). Como tiene un efecto refrescante y bactericida, se emplea también para enjuagues de boca y, externamente, contra el reuma, la comezón o el dolor de cabeza (masajear con unas gotas de aceite); en forma de inhalaciones de vapor (un puñado de hojas por jofaina), la menta despeja la nariz en caso de resfriado ligero. El refrescante sabor de la menta se adapta muy bien a los combinados veraniegos (pruebe el té a la menta helado). Las hojas finamente picadas decoran helados, postres dulces y ensaladas. La menta es mucho más apropiada para salsas de platos de carne de lo que podría parecer (salsa de menta inglesa): se pone en la olla un ramillete, que se retira antes de servir; entonces, se añaden unas hojas picadas. No tema experimentar, pero evite las combinaciones «salvajes»: a la menta le gusta estar sola, como mucho con un chorrito de zumo de limón para intensificar su frescor.

La esencia de menta emanando de un pebetero despeja hasta la mente más fatigada, mejora el estado de ánimo en casos de angustia y depresión y aumenta la capacidad de concentración. La acción de la esencia de menta se puede potenciar con limón, como en la cocina.

 **Recolección y conservación**

Las hojas frescas se recogen cuando se necesitan; lo mejor es recolectar la reserva para el invierno en junio, antes de la floración. Seque la hierba en ramitos colgantes y guárdela en recipientes bien cerrados. El sabor se conserva mucho tiempo en cubitos de hielo. No sólo aromatizan bebidas, sino que también se pueden derretir justo antes de preparar una salsa.

*Advertencia:*
*Hay indicios de que el aceite esencial de albahaca tomado puro podría provocar cáncer. Por lo tanto, los precavidos deberían utilizar sólo las hojas frescas y usar el aceite para su aplicación externa.*

# ALBAHACA *(Ocimum basilicum)*

*La albahaca quita «la tristeza que la melancolía suscita».*
(Herbario medieval)
Remedios homeopáticos
Hierba medicinal de Hildegarda de Bingen

Las brillantes hojas de albahaca saben mejor si se consumen frescas.

 **Características de la planta**

La albahaca es una hierba anual con tallos cuadrados y hojas brillantes y algo ovaladas. El tamaño y el color de las hojas varían según las condiciones y la variedad. Las insignificantes flores labiadas aparecen en las axilas de las hojas superiores.

**Cultivo y cuidados**

La albahaca se vende como planta crecida, pero también se puede plantar a partir de semillas: necesita un lugar cálido en el alféizar de la ventana y la tierra apenas debe cubrirla (germina a la luz). Si se siembra en una cubeta, hay que replantar las plántulas. Si tiene espacio suficiente, debería sembrar la albahaca en maceta (en una mezcla de arena y humus), aclarar el exceso de plántulas y, a partir de finales de mayo, plantarla en el macizo con la maceta o ponerla en la terraza (así evitará que se la coman los caracoles).

 **Diseñar con albahaca**

En macizos grandes, la albahaca «normal» desmerece fácilmente: en tales lugares son más atractivas las variedades de hoja coloreada. En la terraza, disponga arreglos intercalando variedades de hojas verdes y rojas y plantas de jardinera de flor menuda, como la brachicome *(Brachycome)*, las campanillas *(Campanula)* o las agateas *(Felicia)*. En macetas hay más posibilidad de obtener una cosecha fresca y aromática (sobre todo en veranos frescos). En el huerto debería crecer junto a los tomates.

 **Albahaca para la salud y el bienestar**

Las aromáticas hojas abren el apetito, favorecen la digestión y ayudan a ahorrar sal (regímenes). Son el acompañante ideal de los platos de tomate, fríos o calientes, y combinan con las hortalizas mediterráneas (pimiento, berenjena, calabacín), pero también con muchas salsas de carne. En las mezclas de especias, la albahaca suele desvanecerse entre los otros aromas: sola es como mejor destaca. El pesto es pura esencia italiana: maje en un mortero o con la batidora un puñado de hojas de albahaca con 50 g de piñones tostados y aceite de oliva; añada parmesano o pecorino al gusto hasta obtener una pasta suave.

Unas gotas de aceite de albahaca en un pañuelo alivian la cabeza y el alma dolientes (inhalar varias veces profundamente); en un pebetero también estimula de modo similar, aunque el aceite de limón proporciona más frescor.

**Albahaca**
**Resumen:**
*Altura/anchura: 20-50 cm/15-30 cm*
*Floración: junio-septiembre*
*Color de la flor: blanco*
*Condiciones: suelo sueltos y permeables; pleno sol*

**Sugerencia:**
*La albahaca al lado de un asiento ahuyenta las molestas moscas (también sirve aceite de albahaca en un pebetero).*

 **Recolección y conservación**

Para la cocina, lo mejor son las hojas recién recogidas. Se puede hacer acopio para el invierno, pero pierden mucho aroma. Recolecte los brotes superiores antes de la floración y séquelos. En el vinagre o el aceite de hierbas se conserva muy bien el aroma. El pesto (véase arriba, sin queso) se puede congelar en porciones sin que el aroma se pierda.

Las flores color amarillo limón de la onagra no sólo son bonitas sino también interesantes objetos de observación.

*Onagra:*
*Resumen:*
*Altura/anchura:*
*hasta 2 m/40-50 cm*
*Floración: junio-septiembre*
*Color de la flor: amarillo*
*Condiciones: suelos sueltos*
*y secos; de sol a sombra ligera*

## ONAGRA *(Oenothera biennis)*

### Características de la planta

Planta bianual con flores grandes e inusuales: no se abren hasta el anochecer y atraen con su aroma a las mariposas nocturnas. Las hojas son ovales y estrechas, y los tallos, erectos y vellosos.

### Cultivo y cuidados

Las semillas se siembran directamente en el suelo a partir de junio y se cubren con 1-2 cm de tierra. Se separan las plántulas que van brotando. No necesitan más cuidados que un riego esporádico y un escardado de las malas hierbas. En el lugar adecuado, la onagra se propaga sola por semillas proporcionando flores de manera continua. Para evitar que se extienda demasiado, se deberían comprobar y, si es necesario, aclarar las existencias en primavera.

### Diseñar con onagra

Gracias a su abundante floración y su crecimiento alto y estrecho, la onagra es muy apropiada como centro de atención en macizos con gamas de color amarillas y rojas. En macizos azules, proporciona un llamativo contraste, y en un jardín rústico o en arriates de hierbas con girasoles, un hermoso fondo o pantalla visual. Como las flores se abren al anochecer en pocos minutos, junto a un asiento, son un interesante objeto de observación para los niños; por lo general, el «truco» también funciona con tallos frescos con capullos recién cortados.

### Onagra para la salud y el bienestar

Aunque en la medicina popular se utilizan a veces infusiones de las partes verdes, el verdadero poder curativo está en el aceite de las semillas (con ácido gamma-linolénico). Está demostrado que alivia las enfermedades de la piel, como la neurodermitis, y los trastornos hormonales durante la menstruación y la menopausia. Aparece en numerosos preparados (también en cápsulas contra el acné y las impurezas de la piel). Como el aceite puro es muy difícil de extraer y purificar, debería disfrutar de las flores y recurrir a los preparados comerciales. Mezclado con aceite de jojoba en proporción 1:5 y masajeándolo ligeramente, el aceite de onagra cuida la piel.

###  Recolección y conservación

La raíz, relativamente gruesa, es comestible; se desentierra a finales de la floración, se pela y se prepara como la raíz de escorzonera, es decir, cocida. Es picante.

La mejorana sin flores es bastante insignificante, pero inconfundible por su olor.

## MEJORANA *(Origanum majorana)*

*«Añadida a las viandas, les da buen sabor.»*
(Herbario medieval)
Remedios homeopáticos
Hierba medicinal de Hildegarda de Bingen

###  Características de la planta

Hierba anual de tallos cuadrados y ramificados por arriba, con hojas pequeñas y ovaladas y finas vellosidades. Flores labiadas en inflorescencias en cabezuela, casi siempre blancas pero a veces lilas o rosas.

###  Cultivo y cuidados

Aplique compost al suelo allá donde vaya a plantar la mejorana. Se siembra en maceta a partir de marzo, y desde mayo en el suelo; se cubre con una fina capa de tierra (ligeramente presionada). Como las semillas son muy pequeñas, lo mejor es mezclarlas con arena de cuarzo para esparcirlas. A las tres semanas brotan las plántulas. La mejorana no tolera ninguna mala hierba; por tanto, hay que arrancarlas regularmente y airear el suelo. No es obligatorio regar: a la mejorana le gusta la sequía.

### Diseñar con mejorana

Por desgracia, el atractivo de la mejorana no llega ni a la mitad de su utilidad. Queda muy bien como

> *Mejorana*
> *Resumen:*
> *Altura/anchura: 20-50 cm/30-40 cm*
> *Floración: julio-septiembre*
> *Color de la flor: blanco*
> *Condiciones: suelos sueltos y ricos en nutrientes; pleno sol*

fondo de un macizo de hierbas soleado o cerca de otras hierbas mediterráneas (véase el hisopo), donde puede desempeñar un papel secundario. Destaca mejor en una bonita maceta de terracota con mezcla de tierra y arena.

###  Mejorana
### para la salud y el bienestar

Se atan en un ramito dos o tres brotes de mejorana fresca y se añade a los asados de ganso, los platos de patatas y los potajes; las hojitas se echan a los gratinados (sobre todo con tomate) y a los platos de carne picada (se aconseja mezclarlas con tomillo). No sólo proporciona un perfumado aroma mediterráneo, sino que también estimula la producción de jugos gástricos. La infusión de hojas secas y flores (sin tallos) alivia las molestias de la digestión, la falta de apetito y las flatulencias. Como complemento del baño (fresca o seca), dicen que palía los dolores musculares y del reuma. Los especialistas desaconsejan ahora la antigua receta casera de pomada de mejorana con manteca contra los catarros y los dolores abdominales.

###  Recolección y conservación

La mejorana fresca se recolecta a medida que se necesita. Si se piensa guardar para el invierno, es mejor cortarla antes de la floración, en un día seco, y dejarla secar en ramilletes. Su intenso valor como condimento no se pierde. Se puede añadir en pequeñas cantidades a aceites y vinagres de hierbas.

Las hojas frescas de orégano se pueden recolectar antes o durante la floración.

## ORÉGANO
### (Origanum vulgare)

*«Orégano... repara cabeza y nervios.»*
(K'Eogh, siglo XVIII)
Remedios homeopáticos
Hierba medicinal de Hildegarda de Bingen

*Orégano*
*Resumen:*
*Altura/anchura: 20-90 cm/40-50 cm*
*Floración: julio-octubre*
*Color de la flor: casi siempre rosa, raramente blanco*
*Condiciones: suelos secos y permeables; pleno sol*

## Sugerencia:

*Haga mantequilla al ajo y al orégano con hojitas frescas finamente picadas y el jugo del ajo prensado; salpiméntela al gusto.*

## Características de la planta

Planta plurianual con base leñosa y estolones. En los tallos cuadrados y ramificados se asientan hojitas ovaladas y puntiagudas con puntos vesiculares traslúcidos. La inflorescencia ramificada está densamente poblada de pequeñas flores labiadas.

## Cultivo y cuidados

El orégano se vende en maceta en las secciones de hierbas aromáticas de los viveros; al trasplantarlo, hay que mezclar los suelos densos con abundante arena. El cuidado se limita a arrancar las malas hierbas; sólo hay que regarlo en caso de sequía persistente. En regiones frías se cubre la planta ligeramente durante el invierno, y en primavera se podan hasta el suelo los brotes helados. Se puede propagar por estolones, y también puede crecer en maceta (mezclar la tierra para flores con abundante arena).

## Diseñar con orégano

Además de la especie botánica, hay unas cuantas variedades con otros colores de flor, de altura y aroma variables. Las variedades pequeñas van bien en los jardines rocosos, cuyo subsuelo se asemeja a su hábitat natural. Durante la floración la vivaz se cubre completamente de flores, que en su totalidad no parecen individuales. Por tanto, el orégano se

integra de maravilla en todas las clases de macizos «silvestres», ya sea en un jardín rústico o campestre o en un arriate de vivaces de carácter silvestre; por supuesto, también acompaña bien las composiciones mediterráneas en un macizo o una terraza.

## Orégano
## para la salud y el bienestar

Los componentes activos de sus hojas estimulan el apetito y favorecen la digestión incluso cuando se usan como condimento. Además, los aceites esenciales son antiespasmódicos (tos) y eliminan las flatulencias. El orégano proporciona a la pizza su típico aroma, pero también combina con pasta, carne, pescado, potajes y salsas; añada a la cocción un ramillete de la hierba fresca. Si se siente débil o se anuncia un catarro, un baño de orégano le puede aliviar: hierva un instante un puñado grande de brotes secos en 1 litro de agua; déjelo reposar 10 minutos, cuélelo y añádalo al agua del baño. Una alternativa serían las inhalaciones: haga la infusión de manzanilla de la página 64 y añádale unas gotas de aceite de orégano. Como aceite para masaje, mezclado, por ejemplo, con aceite de naranja y de romero, estimula la circulación, depura los tejidos e incluso, al parecer, reduce la celulitis. En un pebetero, el aceite desprende un olor ligeramente picante que tiene un efecto estimulante y agudiza la concentración.

## Recolección y conservación

Recolecte las hojas frescas cuando las necesite. El orégano seco tiene la mayor intensidad como condimento poco antes de la floración: recoja las puntas tiernas de las ramas superiores con los capullos; séquelas a la sombra y consérvelas en un recipiente bien cerrado. Conserve el orégano en forma de aceite y vinagre de hierbas.

## PEREJIL RIZADO *(Petroselinum crispum)*

*«Bueno es culantro, pero no tanto; perejil sí, hasta morir.»*
(Antiguo refrán popular)
Remedios homeopáticos
Hierba medicinal de Hildegarda de Bingen

 **Características de la planta**

Planta bianual universalmente conocida con hojas divididas y rizadas y raíz en forma de zanahoria. Al segundo año crece un tallo de hasta 120 cm en el que brotan diminutas flores en umbela.

El perejil también puede hacer de dinámico fondo verde para flores.

 **Cultivo y cuidados**

Antes de sembrarlo hay que enriquecer el suelo con compost. Se esparcen las semillas en hileras a partir de mediados de marzo y se cubren con tierra. El perejil germina al cabo de 3-4 semanas; por lo tanto, se aconseja sembrar a la vez rabanitos. Las malas hierbas sólo se arrancan del espacio entre las hileras. Una vez el perejil aparece, sólo necesita riego. Plante plántulas en tiestos a finales de verano para tener en invierno una reserva de perejil fresco. Déjelas crecer en un lugar no muy cálido. Al año siguiente hay que sembrar el perejil en otro sitio. Lo mejor es cultivar tanto la variedad rizada (más decorativa), como la de hoja lisa (más gustosa).

 **Diseñar con perejil**

El espeso follaje del perejil (sobre todo del rizado) queda de maravilla en macetas como «sustituto» de la hierba entre otras plantas. En el jardín rústico, forma límites casi perfectos dentro de los macizos o, por ejemplo, como planta de linde rodeándolos. No obstante, para no estropear su crecimiento compacto debería arrancar las plantas a las que, en el segundo año, les crezcan los tallos.

 **Perejil para la salud y el bienestar**

Los componentes activos que contienen sobre todo los frutos actúan principalmente sobre la musculatura, el intestino, la vejiga y la matriz. Como su uso no deja de tener sus riesgos, debería limitarse a las hojas, sabrosas y totalmente inocuas. Se añaden siempre poco antes de servir y combinan con todos

---

*Perejil*
*Resumen:*
*Altura/anchura: 20-30 cm/15-20 cm*
*Floración: junio-agosto*
*Color de la flor: blanco*
*Condiciones: suelos ricos en humus y permeables; media sombra (soporta bien algo de sombra)*

Las hierbas aromáticas como el tomillo y el romero destacan especialmente bien en atractivas cestas.

los platos de patatas, casi todas las ensaladas, muchos platos de verdura y sopas. El perejil no sólo está rico, sino que también es sano: contiene vitaminas A, B, E y muchísima vitamina C, además de minerales y oligoelementos. Según una antigua creencia popular, incrementa la potencia masculina.

 **Recolección y conservación**

El perejil se recoge a medida que se necesita. Si sólo se cortan las hojas externas, la planta sigue creciendo. El perejil seco pierde mucho aroma, por lo que debería congelar sus reservas: lave muy bien el perejil fresco; séquelo un poco entre dos capas de papel de cocina y corte los tallos; píquelo no demasiado fino, póngalo en un recipiente para el congelador y congélelo. Saque con una cuchara la cantidad que necesite cada vez.

**ROMERO** *(Rosmarinus officinalis)*

*«La mitad es siempre demasiado.»*
(Dicho entre cocineros)
Planta medicinal según el párroco Kneipp
Hierba medicinal de Hildegarda de Bingen

> *Romero*
> *Resumen:*
> *Altura/anchura: 150 cm/60-100 cm*
> *Floración: marzo-julio*
> *Color de la flor: de azul claro a violeta*
> *Condiciones: suelos permeables y ricos en humus; pleno sol*

## Características de la planta

El romero es una auténtica especie meridional que desprende su aroma, sobre todo, en los cálidos días de verano. Es perenne, leñoso por la base y mucho más resistente de lo que se cree. Tiene hojas estrechas en forma de aguja, en cuyas axilas superiores crecen numerosas flores labiadas.

## Cultivo y cuidados

Hay que aligerar el suelo donde vaya a crecer el romero con arena y gravilla; las plantas se venden en maceta. Quien no quiera correr riesgos debería plantarlo en un tiesto, enterrarlo en el macizo en primavera y llevarlo en otoño a un lugar fresco pero a resguardo de heladas. Los jardineros arriesgados que no vivan en regiones con inviernos rigurosos dejarán el semiarbusto en el macizo y en invierno lo cubrirán bien con leña menuda. En primavera se podan las ramas heladas y se enriquece el suelo con compost y abono orgánico. No se necesitan más cuidados; en pleno verano ya no se debería regar más el arbusto (los brotes tiernos se hielan fácilmente).

## Romero para la salud y el bienestar

El aceite esencial de sus hojas es decisivo para su empleo tanto medicinal como culinario. La infusión de romero (1 cucharadita), de intenso sabor, calma todo tipo de molestias gástricas e intestinales, así como la sensación de plenitud y las flatulencias. Las hojas maceradas en vino dulce (se dejan unos 20 g de puntas de brotes en una botella de vino durante una semana aproximadamente, y luego se cuela el vino con un filtro para café) convierten el vino en una bebida estimulante que, tomada en pequeñas dosis, favorece la circulación. Un baño con romero (hervir suavemente unos 50 g de puntas de brotes en 1 litro de agua, dejarlo reposar 30 minutos, colarlo y añadirlo al agua del baño; como alternativa, añadir al agua unas gotas de aceite de romero comprado) calma las agujetas y el reuma, estimula la circulación y eleva la tensión arterial baja. Acuéstese luego una hora por lo menos, pero no se bañe por la noche porque los baños con romero despejan; quizá por eso se diga que son afrodisíacos. El aceite de romero evaporado en un pebetero aclara la mente y da energía.

El romero forma parte de las hierbas de Provenza y proporciona un aire mediterráneo a platos de carne, gratinados y potajes. Si se quema sobre el carbón de la barbacoa, confiere a la carne un aroma especiado. El mismo fin cumple una rama de romero salteada en una sartén con aceite y retirada antes de añadir la carne o las patatas.

## Recolección y conservación

Las hojitas o las puntas de los brotes del romero se pueden emplear frescas, pero también se pueden secar como reserva para el invierno (¡nunca al sol!). Recolecte las hojas en verano y, cuando estén secas del todo, póngalas en tarros de conserva. Con romero se pueden aromatizar vinagre y aceite.

## SALVIA *(Salvia officinalis)*

*«Por qué la persona habría de morir, si crece salvia en su jardín.»*
(Proverbio medieval)
Remedios homeopáticos
Planta medicinal según el párroco Kneipp

 **Características de la planta**

La salvia es un semiarbusto que con la edad se va haciendo leñoso por la base. En invierno conserva en las ramas sus hojas plateadas y ligeramente vellosas. Las flores labiadas crecen por encima de las hojas en fascículos alrededor de los tallos.

 **Cultivo y cuidados**

La salvia se vende en maceta, y antes de trasplantarla hay que permeabilizar el suelo con arena o gravilla fina. Enriquézcalo además cada primavera con compost y un poco de cal de algas. La salvia no soporta muy bien el invierno y se hiela fácilmente (protéjala con leña menuda de pícea). En primavera se podan las ramas heladas hasta el tronco. Para tener siempre plantas frescas y no leñosas, hunda ramas en el suelo durante el verano con una «U» de alambre rígido; la rama arraigada se corta y se replanta.

 **Diseñar con salvia**

Se encuentra salvia de numerosas variedades, con diferentes colores de hoja. Los sobrecitos de semillas (la salvia también se puede sembrar) contienen casi siempre una mezcla. «Clasifique» las plántulas por el color de las hojas y haga con ellas grupos armoniosos en tiestos o en un macizo. Por el tipo de suelo que requiere, la salvia crece mejor en jardines rocosos como un sustituto relativamente bajo

Variedades de salvia de distintos colores quedan muy bien combinadas en un macizo.

de arbustos o en un macizo mediterráneo. Queda igualmente bien en arreglos con hojas plateadas, por ejemplo, de oreja de liebre, verónica espigada o flores desde blancas hasta rosa pastel. Coloque la salvia junto a un asiento al sol y podrá inhalar su perfume.

 **Salvia para la salud y el bienestar**

La infusión de salvia (1 cucharadita) se toma antes de cada comida. Alivia las molestias digestivas, la sensación de plenitud y la sudoración incontrolada (si no le gusta su sabor, puede endulzarla con miel o jarabe de arce). También estimula la digestión una jalea de manzana preparada de la forma habitual (con azúcar y un poco de zumo de limón; añadir un buen chorro de vino tinto), a la que antes de que se enfríe del todo se añaden de dos a tres hojas de salvia finamente picadas. Esta jalea se puede comer o emplear como sabroso aditamento para salsas.

También se conoce el poder bactericida y antiinflamatorio de la salvia, razón por la cual se incluye en muchas pastas de dientes: en caso de inflamaciones de la boca o la garganta, prepare la infusión el doble de fuerte y haga gárgaras.

En la cocina, la salvia combina en pequeñas cantidades con sopas, potajes y gratinados, así como con salsas de pescado, el cordero y la ternera. Las flores son comestibles y quedan muy decorativas esparcidas en las ensaladas.

Un saquito de salvia seca debajo de la almohada proporciona un sueño tranquilo, mientras que el aceite evaporado en un pebetero depura el ambiente y reanima; el perfume se volverá dulcemente aromático si añade un poco de aceite de lima o limón.

 **Recolección y conservación**

Las hojas frescas se cortan a medida que se necesitan y la reserva de invierno (puntas de brotes para secar), en verano, para que el semiarbusto vuelva a echar hojas antes del invierno. Una vez secas, las hojas se desmenuzan (la salvia seca es muy aromática). Una alternativa sería congelar las hojas entre láminas de plástico de cocina e ir cogiéndolas a medida que se necesiten. Las hojas de salvia aromatizan aceites y vinagres de hierbas.

---

*Salvia*
*Resumen:*

*Altura/anchura: 30-50 cm/40-50 cm*
*Floración: mayo-agosto*
*Color de la flor: de azul a violeta claro*
*Condiciones: suelos secos y permeables; pleno sol*

---

## VARA DE ORO *(Solidago virgaurea)*

*«La vara de oro supera a todas las demás hierbas a la hora de restañar heridas sangrantes.»*
(John Gerard, 1597)
Remedios homeopáticos

 **Características de la planta**

La vara de oro es una vivaz con rizoma engrosado y de crecimiento erecto. De los tallos, poco ramificados, brotan hojas estrechas pero grandes; las numerosas cabezuelas, que producen el efecto de flores individuales, conforman una inflorescencia ramificada.

 **Diseñar con vara de oro**

Es interesante combinar la vara de oro de valor medicinal con la variedad *S. canadiensis,* así como con otras variedades rastreras o con los híbridos, que se distinguen porque tienen un follaje mucho más rico. Como el período de floración es tardío, la vara de oro es un importante elemento cromático para el jardín de fines de verano y de otoño. Se adapta tan bien a un arriate como a un jardín rústico, pero donde realmente destaca es en un jardín rural o «Cottage garden» rebosante de flores,

Junto a la auténtica vara de oro debería plantar también algunos híbridos de Solidago, más bonitos para el jardín.

junto a campanillas silvestres *(Campanula persicifolia)*, bergamota silvestre (híbridos de Monarda) o rubeckias *(Rubeckia)*, o, en otoño, junto a cielo estrellado *(Aster novi-belgii)*. Si se coloca como fondo, otras vivaces esconderán las poco destacables hojas.

 ### Vara de oro
### para la salud y el bienestar

La infusión de vara de oro (1-2 cucharaditas) es diurética y antiinflamatoria, y se bebe en caso de inflamaciones de vejiga y renales. Aunque no se le conocen efectos secundarios, debería consultar a su médico porque las enfermedades renales pueden ser peligrosas. La infusión bebida regularmente entre las comidas previene, según parece, los cálculos de la orina.

*Vara de oro*
*Resumen:*
*Altura/anchura: hasta 1 m/40-50 cm*
*Floración: julio-octubre*
*Color de la flor: amarillo*
*Condiciones: suelos ligeros; sol*

 ### Recolección y conservación

Se recolectan los brotes superiores con las flores abriéndose. La vara de oro se seca en ramilletes y el remedio se conserva en frascos.

Un curioso sendero herbáceo formado por una hilera de macizos cuadrados de tomillo y lavanda.

## TOMILLO *(Thymus vulgaris)*

*«El tomillo da ganas de comer y espanta*
*enérgicamente lo que hay de macilento*
*y torcido en el cuerpo.»*
(P. A. Mattioli, 1586)
Remedios homeopáticos

 **Características de la planta**

Es un semiarbusto de crecimiento compacto que se
vuelve leñoso por el interior. Sus brotes cuadrados
están fuertemente ramificados. Las hojas, pequeñas y estrechas, tienen el borde enrollado y son
perennes.

 **Cultivo y cuidados**

El tomillo se vende en maceta; antes de trasplantarlo, enriquezca el suelo con abundante arena y
no emplee ningún abono. Para garantizar el crecimiento compacto de la planta debería podar el
tomillo en primavera quitando todos los brotes
helados. Se puede reproducir por esquejes para
colocar una maceta en el alféizar de la ventana o
para sustituir plantas más viejas.

 **Diseñar con tomillo**

Como el tomillo requiere sequedad y se marchita
en suelos húmedos, debería encontrarle un lugar al
borde de un macizo seco y mediterráneo o en un
jardín rocoso. También se adapta como planta de
pared en una pendiente apuntalada con piedra o en
la parte superior (más seca) de una espiral de hierbas aromáticas. Quedan muy bonitos los bulbos (cro-
cos, tulipanes pequeños) plantados de manera que
en primavera surjan entre sus ramas. El efecto de
las flores se puede intensificar con otras especies

(por ejemplo, *T.* x *citriodorus*, *T. serpyllium*) y variedades de tomillo con hojas variegadas, así como con vivaces rastreras y tapizantes para jardines rocosos, como las saxífragas.

### Tomillo
### para la salud y el bienestar

La infusión de tomillo (1 cucharadita) calma la tos y disuelve la flema en caso de enfermedades catarrales. Suavice su sabor amargo con miel, pero tenga en cuenta que para calmar los espasmos gástricos es preferible beberlo sin endulzar. Para hacer un baño anticatarral, eche unos 100 g de hojas en 1 litro de agua hirviendo, déjelo reposar 15 minutos, cuele la infusión y viértala en la bañera llena. Inhale los vapores unos 15 minutos y acuéstese luego en la cama. La medicina popular recomienda este baño también para aliviar el reuma.

El aceite de tomillo en un pebetero puede evitar un catarro inminente (el de eucalipto intensifica el efecto), mientras que un par de gotas en una loción corporal refuerzan la flora dérmica natural.

En cocina se añade un ramito de la hierba fresca durante la cocción: combina con todas las carnes (hace más digestiva la grasa), los gratinados de verduras (pique las hojas), sopas y potajes.

**Tomillo**
*Resumen:*
*Altura/anchura: hasta 30 cm/50-60 cm*
*Floración: mayo-octubre*
*Color de la flor: de rosa*
*a lila claro*
*Condiciones: suelos secos a pleno sol*

También de tomillo se venden diferentes variedades de hojas variegadas.

*Sugerencia:*
*El tomillo se incluye*
*en las mezclas de hierbas*
*de los saquitos de olor.*

 ### Recolección y conservación

La hierba fresca se recolecta a medida que se necesita; recoja la reserva para secar poco antes de la floración. El tomillo se seca en ramilletes y se conserva en recipientes bien cerrados. Se puede emplear para aromatizar aceites y vinagres de hierbas (muy meridional junto con romero).

## Capuchina
### Resumen:
*Altura/anchura: brotes de hasta 5 m de largo*
*Floración: junio-octubre*
*Color de la flor: de amarillo a rojo brillante*
*Condiciones: suelos ricos en nutrientes*
*y no demasiado húmedos; de sol*
*a media sombra*

La capuchina está entre las plantas de jardín fáciles de cuidar y de exuberante crecimiento.

## CAPUCHINA
### *(Tropaeolum majus)*

*«Una corona para la capuchina.»*
(E. de Lestrieux e I. de Belder-Kovacìc)

 **Características de la planta**

La capuchina es una planta anual trepadora o rastrera con hojas redondas en forma de escudo. Las flores son muy grandes y acaban con un espolón.

 **Cultivo y cuidados**

Se ponen 2 o 3 de las grandes semillas en agujeros de 2 cm de profundidad y se cubren con tierra. Como sufren con las heladas, hay que esperar a plantarlas a mediados de mayo o criar las plantas en un tiesto. Aparte de riegos regulares (nada de abono), no necesitan ningún cuidado.

 **Diseñar con capuchina**

Los brotes largos y trepadores y las hojas, de un verde fresco, lo cubren todo allá donde se plantan: pilas de compost y vallados, muros de cenadores y arbustos de seto, postes de pabellones o arcos.

También puede crecer en jardineras de balcón o de suelo. Se aconseja acompañarla con copetes *(Tapetes)*, caléndulas *(Calendula)* o variedades anuales de salvia.

 **Capuchina para la salud y el bienestar**

Aunque los componentes activos de las hojas refuerzan el sistema inmunitario, combaten los catarros y estimulan la circulación, su efecto sólo es aprovechable en forma de preparados farmacológicos (medicamentos). No obstante, la capuchina debería tener un lugar en todo jardín saludable porque sus hojas cortadas en tiras finas tienen un maravilloso sabor a pimienta (algo más picante que el berro) y combinan con ensaladas de hortalizas y requesón o mantequilla a las hierbas. Las flores frescas enteras, comestibles, coronan de maravilla ensaladas, ponches, helados y refrescos, o se esparcen para decorar la mesa.

 **Recolección y conservación**

La capuchina sólo se puede emplear fresca y se va recolectando a medida que se necesita.

## VALERIANA *(Valeriana officinalis)*

*«Valeriana, orégano y eneldo*
*estorban a la bruja el encantamiento.»*
(Dicho popular francés)
Remedios homeopáticos
Planta medicinal según el párroco Kneipp

### Valeriana
**Resumen:**
*Altura/anchura: 30-150 cm/60-70 cm*
*Floración: mayo-agosto*
*Color de la flor: de rosa a casi blanco*
*Condiciones: suelos desde húmedos*
*hasta secos; sol o media sombra*

### Características de la planta

Los tallos estriados de la valeriana crecen a partir de un gran rizoma. Tiene hojas grandes y plumadas, y pecíolos rígidos y erectos. La valeriana es relativamente poco exigente y se encuentra bien en muchos lugares; las flores tienen un olor dulce.

### Cultivo y cuidados

La valeriana se puede sembrar pero en las secciones de hierbas se encuentra normalmente en maceta. Airee el suelo alrededor del agujero de plantado y mezcle compost con la tierra. Para ubicarla hay todo un abanico de posibilidades desde lugares a media sombra y húmedos hasta soleados y secos. Pero la mejor calidad de raíz se alcanza en sitios soleados.

### Diseñar con valeriana

Las flores brotan en tallos largos y casi desnudos. Si los esconden otras vivaces, las flores de valeriana crean un bonito fondo en arriates de tonos pastel. También merece la pena intentar el contraste con las llamativas hojas de la hosta sieboldiana (florecen casi a la vez) a la sombra ligera de una leñosa.

### Valeriana para la salud y el bienestar

El aceite esencial y otros componentes activos de la raíz seca en infusión proporcionan un sueño tranquilo y reparador; cura las tensiones nerviosas, los dolores de corazón y las molestias gastrointestinales. Se bebe la infusión (1 cucharadita) alrededor de una hora antes de ir a dormir. Igual de efectivo es un baño de valeriana (hervir 100 g de raíz en 3 litros de agua unos 10 minutos, colarlo y verterlo en el agua de la bañera); la tintura de valeriana de farmacia cumple el mismo fin.

### Recolección y conservación

En otoño, con una laya, desentierre cuidadosamente la raíz bianual y quítele toda la tierra. Ensártela en un hilo, ya sea entera o en trozos, y déjela secar; sólo cuando están totalmente secos los trozos se meten en tarros de conserva herméticos. Como la recolección supone cierto trabajo, resulta razonable dejar crecer la planta en el jardín y comprar en la farmacia preparados hechos con la raíz.

# APLICACIONES Y RECETAS

La calidad de cada preparado, de cada remedio, depende estrechamente de la de las materias primas empleadas. Puede elaborar infusiones, productos de baño y enjuagues con hierbas de la farmacia o la herboristería, que ofrecen todas las garantías, están analizadas y son más baratas que los preparados industriales. No obstante, resulta más satisfactorio trabajar con las propias hierbas. Una excepción a la regla la constituyen los aceites esenciales purificados, cuya extracción es demasiado laboriosa. Se venden en tiendas de dietética y cosmética natural y en farmacias.

## Cosechar, almacenar y conservar

### Cosechar

Las hierbas se recolectan cuando contienen la mayor cantidad de componentes activos. Salvo contadas excepciones que aquí se indican, eso ocurre poco antes de la floración. Corte los brotes de manera que la planta no sufra o que se pueda regenerar. El mejor momento es a última hora de la mañana, cuando el rocío de las hojas se ha evaporado ya del todo.

## Secar

Ate las plantas fuertes en ramilletes. Las hojas sueltas y las flores se extienden sobre papel de cocina o en un paño (resulta muy fácil en bandejitas de fruta de madera, planas y apilables). Las plantas se tienen que secar a la sombra, para que los aceites esenciales se volatilicen lo menos posible. El proceso acaba cuando las hojas se sienten secas al tacto y se desmenuzan al frotarlas. Guarde las hierbas secas en recipientes oscuros y con buen cierre, de cristal, metal o cerámica. Aunque las hierbas secas se conservan varios años, resulta más razonable renovar las reservas anualmente.

## Congelar

La mejor alternativa para muchas hierbas de cocina (albahaca, eneldo, estragón, melisa, perejil, tomillo...) es congelarlas. Las plantas frescas se lavan, se secan presionándolas suavemente entre dos capas de papel de cocina y se pican menudas. Luego, se meten en los huecos de una cubitera y se cubren con agua. Los cubitos de hielo se guardan en bolsas o envases para el congelador. Para sazonar, se echan los cubitos en el guiso; el agua se evapora y los aromas se liberan.

Otra alternativa es congelar ramas u hojas frescas en bolsas adecuadas e ir sacándolas según se necesitan, o congelar un poco las ramas, sacarlas y, en la misma bolsa, chafarlas con la mano o con un rodillo y luego meterlas en una tartera plana.

Una infusión de hierbas después de un relajante baño. ¿Quién va a seguir pensando en el estrés?

*Un benéfico masaje le hará olvidar pronto el estrés cotidiano.*

## Hierbas para la salud y el bienestar

Si no se da alguna otra indicación para una hierba determinada, se preparan todas como se explica a continuación:

### Infusión

Cubra las hojas o flores secas finamente picadas con 150 ml de agua hirviendo (más o menos el contenido de una taza de café; en una de café con leche caben unos 200 ml). Cubra el recipiente con un platillo invertido. Al cabo de 10-15 minutos, cuele la infusión en otra taza con un colador de té. Así se prepara también el líquido para enjuagues.

### Inhalaciones de vapor

Prepare una infusión con 2-3 cucharadas soperas de la hierba y 1 litro de agua caliente. Vierta el líquido en una jofaina y sitúe la cara sobre ella; cúbrase la cabeza con una toalla, de modo que abarque también la jofaina. Intente aguantar los vapores y el calor unos 10 minutos y a continuación acuéstese. Quizá le resulte más práctico recurrir a los aceites esenciales comerciales para prepararse unas inhalaciones de vapor; en ese caso, siga las indicaciones del envase. Este tratamiento es muy apropiado también para el cuidado de la piel: árnica, hipérico, salvia y tomillo eliminan las impurezas de la piel; la borraja activa su irrigación; el hinojo y la lavanda son buenos para la piel seca, la manzanilla, la menta y el romero para piel grasa y con impurezas, y la melisa para la piel cansada.

## Baño parcial

Los baños de brazos o pies se preparan según la misma receta. Especialmente relajante para los pies cansados es un baño tibio con aceite de romero o lavanda; si emplea aceites esenciales comprados, puede añadir también el de cedro, limón o ciprés.

## Baño completo

Para muchas personas tomar un baño en el cuarto de baño caldeado, con música relajante, unas velas y un pebetero, es la cúspide de la relajación. También en este caso los aceites esenciales o las preparaciones caseras de hierbas pueden obrar milagros. Cubra un puñado de hierbas frescas o secas con 1 litro de agua hirviendo y deje reposar la infusión 10 minutos. Cuélela y viértala en el agua del baño. Esparza hojas o flores sobre la superficie del agua: así también proporcionará placer a sus ojos. Después del baño (10-15 minutos), frótese la piel con un aceite corporal y acuéstese en la cama para que su cuerpo se relaje por completo.

## Pomadas

La forma más fácil de preparar pomadas aromáticas para cuidar la piel es con vaselina (en farmacias). Derrita la vaselina al baño maría y añada flores o hierbas aromáticas finamente picadas, o también unas gotas de aceite esencial; remuévalo durante unos 15 minutos. Después, filtre la vaselina con un colador de tela (o una gasa limpia) y pásela a frascos de cristal con tapa de rosca para que se enfríe. Con flores de caléndula puede preparar una pomada muy efectiva contra agujetas, quemaduras y rozaduras que se conserva en el frigorífico varios meses.

*Los aceites y cremas de plantas procedentes de su jardín o de la tienda de cosmética natural son lo mejor que puede proporcionar a su piel.*

## Masajes

Déjese mimar por el efecto tranquilizador de un suave masaje en pareja. Emplee aceites de masaje aromáticos preparados o aromatice aceite de jojoba, almendras o sésamo con unas gotas de aceites esenciales. En el caso de estos masajes no importa tanto el trabajo profesional sobre los músculos como la sensación de bienestar y las «caricias» en un entorno agradable. La forma más simple de masaje es el llamado *effleurage*: para realizarlo, siga con las palmas de las manos el contorno del cuerpo (hacia el corazón la presión debería ser mayor, desde el corazón debería ser algo más suave). La técnica de fricción se aplicará con sensibilidad: posando la mano, acaricie la piel con los pulgares presionando ligeramente. El pulgar sigue en estrechas espirales el contorno del cuerpo. Interrúmpalo si la presión resulta desagradable a su pareja.

Los baños faciales o de pies con ingredientes aromáticos son extraordinariamente benéficos para el cuerpo y el alma.

## Hierbas para la casa

Con ramos de flores recién recogidas, o también de flores secas, con bandejas de olor y muchas otras cosas, introducirá el jardín en su casa.

### Flores secas

En principio, todas las flores se pueden secar, aunque no todas con los mismos resultados. Compruebe qué flores de su jardín son las más apropiadas para su uso doméstico. Intente secar sobre todo cabezuelas resistentes en la gama del amarillo al rojo. Cuanto más fina y grande sea la flor, más fácilmente se romperá cuando esté seca; las flores azules palidecen un poco. Mezcle una rama aromática (romero, tomillo, lavanda... o eche unas gotas del correspondiente aceite), para que su

ramo también sea agradable al olfato. Convierta la propia elaboración del ramo en un ejercicio de concentración y relajación.

### Pebeteros y cuencos aromáticos

Se pueden adquirir numerosas variantes de pebeteros, desde los más sencillos de cerámica hasta decorativos modelos de cristal o metal; elija el que más le guste. Una fuente de calor (en los modelos sencillos, una simple vela) calienta un recipiente con agua a la que se añaden unas gotas de aceite. El suave aroma del aceite al evaporarse se extiende por la habitación. Existen modelos eléctricos en forma de ventiladores o piedras aromáticas. Una variante sencilla son los cuencos aromáticos con agua en cuya superficie flotan ramas, hojas o flores (por ejemplo, rosas o lavanda); velas flotantes y unas gotas de aceite sobre las plantas intensifican el efecto.

## Popurrís y saquitos de olor

En Provenza se venden en todas las esquinas saquitos de olor con la «fragancia del Mediterráneo». En lugar de poner las hierbas aromáticas de su elección en saquitos de lino y coserlos (para aromatizar armarios o, con lavanda, debajo de la almohada para combatir el insomnio), las puede guardar en frasquitos con tapa de rosca. Cada vez que se abra el frasco se esparcirá por la habitación un abanico de aromas. Disponga sus propias hierbas aromáticas y flores secas en bonitos frascos, y renueve el aroma con aceites de vez en cuando. El aroma de Provenza mencionado anteriormente se compone de lavanda, rosa, romero y tomillo. La melisa, la menta, el tomillo y el geranio limonero crean un ambiente fresco.

Un baño a la romántica luz de las velas en medio de perfumados pétalos de rosa es el súmmun de la relajación.

La mejor manera de picar las hierbas es con unas cuchillas de este tipo.

## Hierbas en la cocina

### Vinagre y aceite de hierbas

El vinagre y el aceite permiten conservar de un modo efectivo el aroma de las hierbas para guisos y ensaladas. En principio, se pueden preparar así todo tipo de hierbas, inclusive cebolla, ajo y ajo de oso. Comience con aromas sencillos y luego vaya añadiendo otras hierbas hasta que encuentre su aliño personal. Haga un primer intento, por ejemplo, con salvia o romero frescos: ponga medio litro de aceite en una botella de cuello ancho e introduzca las hierbas limpias y secas. Deje reposar el aceite a la sombra 1-2 semanas y luego fíltrelo con un embudo (ponga dentro un filtro para café o una tela fina; el filtro retendrá todas las partículas flotantes) pasándolo a una botella oscura. Un buen vinagre de hierbas debería reposar 3-4 semanas.

### Pesto

Además de la receta italiana original (pesto de albahaca), son muchas las hierbas con las que se puede elaborar una salsa similar (véase la receta básica en el ajo de oso y la albahaca), que se conserva en la nevera.

### Mantequilla y mayonesa a las hierbas

Mezcle mantequilla a temperatura ambiente con ajo majado o ajo de oso finamente picado y un chorro de zumo de limón. Añada hierbas picadas al gusto (por ejemplo, albahaca, eneldo, perifollo, perejil, melisa y tomillo); remuévalo todo bien. Como atractiva decoración para un bufé, añada unas flores. Enrolle la mantequilla en papel de aluminio y métala en el frigorífico. Poco antes de servirla, córtela en rodajas. En cuanto a la mayonesa, puede usarla de frasco o hacer una casera con yema de huevo con aceite de oliva.

Fresca o seca, la ajedrea da muy buen sabor a potajes, ragús y gratinados.

## Mostaza a las hierbas

La base es una sencilla mostaza medio picante sin aditivos. Por cada 100 g de mostaza, añada 4-5 cucharadas soperas de hierbas frescas picadas; remueva bien. El clásico de esta gama es la mostaza al estragón; con la carne quedan estupendas las mostazas de albahaca y de salvia. Las de eneldo y de tomillo son algo más suaves.

## Queso a las hierbas

Una buena idea para fiestas es el queso aliñado casero. Se puede hacer con todo tipo de quesos duros (los mejores son el de oveja, el de cabra y la mozzarella). Corte el queso en dados de 1 cm y métalos en un frasco. Mezcle aceite de oliva con granos de pimienta verde (si le gusta el picante, puede añadir unas guindillas), alcaparras y la hierba de su elección (por ejemplo, orégano, tomillo o romero) y viértalo sobre el queso; normalmente se ponen también 2-3 ajos. Hay que dejarlo reposar unos días y servirlo con pan o sobre una fresca ensalada verde. Prepare diferentes variedades.

No siempre es necesario un jardín. Las hierbas crecen igual de bien en tiestos y jardineras, en la terraza.

El fotógrafo, el autor y la editorial agradecen a los siguientes propietarios y diseñadores
de jardines, instituciones y empresas su ayuda y colaboración:

Arnoldshof, H, pp. 36, 37 dcha.

Barnsley House, GB, p. 51

Berges, Al, p. 37 izda.

Bödeker, Al, p. 5 izda.

Caesar, Al, p. 24

Cleen Lelie, H, p. 44

De Hagenhof, H, p. 62

De Heerenhof, H, p. 14

De Brinkhof, H, p. 17

De Keukenhof, H, p. 34

Erlemann, Al, foto grande portada, planificación:
    Büro Püschel/ Al

Fasching, Al, p. 33, planificación: Fuchs baut Gärten

Giardini, B, p. 18

Grugapark Essen, D, pp. 38, 47

Heigroth, Al, p. 31

Jonker, H, p. 59

Lucenz/Bender, Al, pp. 20, 26, 39, 41, 42

Mayr, Al, p. 2

Meyhof, H, pp. 72, 96

Meier Evi, Al, p. 22

Neschkes, Al, p. 94

Oudolf, H, p. 54

Priona Tuinen, H, p. 56

Rheims, Al, p. 19 arr.

Schröder-Bourgois, Al, p. 11

Stuurmann, H, pp. 10, 23

Schlosspark Benrath, Al, pp. 27, 28, 74,
    planificación: Christine Orel, D

Steinhauer, Al, p. 29

Staudengärtnerei Arends, Al, p. 80

Turkenburg, Al, pp. 32, 92, planificación: Püschel, D

Versicolor, H, p. 70

Wenninger, Al, pp. 19, 30, planificación: Büro Püschel, D

Winkler, Al, p. 52

Westerhuis, H, p. 63

Wisse, H, p. 45

Wittich, Al, p. 21

Todas las fotos de Jürgen Becker excepto:
Justyna Krzyzanowska: portada 1ª y 2ª. Foto arriba izda.
pp. 4, 5 dcha., 8, 9, 12, 13, 16, 40, 84, 85, 86, 89, 90
Ralf Joest pp. 32, 92

**Bibliografía:**

Chevallier, A.: *Enciclopedia de plantas medicinales,*
Editorial Acento, Madrid


Harding, J.: *Las buenas hierbas,*
Editorial Parragon, Bath


McHoy, P.: *La biblia de las hierbas,*
Editorial Könemann, Colonia


Harding, J.: *Guía de los aceites esenciales,*
Editorial Parragon, Bath


Cecchini, T.: *Enciclopedia de las hierbas medicinales,*
Editorial De Vecchi, Barcelona


Nice, J.: *Hierbas medicinales y recetas caseras,*
Editorial Paidós, Barcelona


Volák, J.: *Plantas medicinales,*
Editorial Susaeta, Madrid

«A la mujer que me hace tanto bien.»
Wolfgang Hensel

Los mirtos (aquí en forma de arbolitos) acusan las heladas, pero en verano dan un aire mediterráneo a cualquier terraza.

# ÍNDICE TEMÁTICO

La ruda crea márgenes inusuales, y no sólo en macizos de hierbas sino también en jardines rústicos.

# ÍNDICE TEMÁTICO